当一头小象从天而降……

The Magician's Elephant

国际大奖小说

魔术师的小象

[美]凯特·迪卡米洛/著　　[日]田中良子/绘　　许洪珍/译

新蕾出版社

图书在版编目 (CIP) 数据

魔术师的小象/(美)迪卡米洛著;(日)田中良子绘;许洪珍译.
—天津:新蕾出版社,2010.4(2016.7重印)
(国际大奖小说)
书名原文:The Magician's Elephant
ISBN 978-7-5307-4686-8

Ⅰ.①魔…

Ⅱ.①迪…②田…③许…

Ⅲ.儿童文学–中篇小说–美国–现代

Ⅳ.I712.84

中国版本图书馆 CIP 数据核字(2010)第 031920 号

津图登字:02–2008–44

出版发行:新蕾出版社

e-mail:newbuds@public.tpt.tj.cn

http://www.newbuds.cn

地　　址:天津市和平区西康路 35 号(300051)

出 版 人:马梅

电　　话:总编办 (022)23332422
　　　　　发行部 (022)23332676　23332677

传　　真:(022)23332422

经　　销:全国新华书店

印　　刷:山东德州新华印务有限责任公司

开　　本:880mm×1230mm　1/32

字　　数:60 千字

印　　张:6

版　　次:2010 年 4 月第 1 版　2016 年 7 月第 14 次印刷

定　　价:18.00 元

著作权所有·请勿擅用本书制作各类出版物·违者必究,如发
现印装质量问题,影响阅读,请与本社发行部联系调换。
地址:天津市和平区西康路 35 号
电话:(022)23332677　邮编:300051

一辈子的书

梅子涵

亲近文学

　　一个希望优秀的人，是应该亲近文学的。亲近文学的方式当然就是阅读。阅读那些经典和杰作，在故事和语言间得到和世俗不一样的气息，优雅的心情和感觉在这同时也就滋生出来；还有很多的智慧和见解，是你在受教育的课堂上和别的书里难以如此生动和有趣地看见的。慢慢地，慢慢地，这阅读就使你有了格调，有了不平庸的眼睛。其实谁不知道，十有八九你是不可能成为一个文学家的，而是当了电脑工程师、建筑设计师……可是亲近文学怎么就是为了要成为文学家，成为一个写小说的人呢？文学是抚摸所有人的灵魂的，如果真有一种叫作"灵魂"的东西的话。文学是这样的一盏灯，只要你亲近过它，那么不管你是在怎样的境遇里，每天从事怎样的职业和怎样地操持，是设计房子还是打制家具，它都会无声无息地照亮你，使你可能为一个城市、一个家庭的房间又添置了经典，添置了可以供世代的人去欣赏和享受的美，而不是才过了几年，人们已经在说，哎哟，好难看哟！

谁会不想要这样的一盏灯呢？

阅读优秀

文学是很丰富的，各种各样。但是它又的确分成优秀和平庸。我们哪怕可以活上三百岁，有很充裕的时间，还是有理由只阅读优秀的，而拒绝平庸的。所以一代一代年长的人总是劝说年轻的人："阅读经典！"这是他们的前人告诉他们的，他们也有了深切的体会，所以再来告诉他们的后代。

这是人类的生命关怀。

美国诗人惠特曼有一首诗：《有一个孩子向前走去》。诗里说：

有一个孩子每天向前走去，

他看见最初的东西，他就变成那东西，

那东西就变成了他的一部分……

如果是早开的紫丁香，那么它会变成这个孩子的一部分;如果是杂乱的野草,那么它也会变成这个孩子的一部分。

我们都想看见一个孩子一步步地走进经典里去,走进优秀。

优秀和经典的书,不是只有那些很久年代以前的才是,只是安徒生,只是托尔斯泰,只是鲁迅;当代也有不少。只不过是我们不知道,所以没有告诉你;你的父母不知道,所以没有告诉你;你的老师可能也不知道,所以也没有告诉你。我们都已经看见了这种"不知道"所造成的阅读的稀少了。我们很焦急,所以我们总是非常热心地对你们说,它们在哪里,是什么书名,在哪儿可以买到。我就好想为你们开一张大书单,可以供你们去寻找、得到。像英国作家斯蒂文生写的那个李利一样,每天快要天黑的时候,他就拿着提灯和梯子走过来,在每一家的门口,把街灯点亮。我们也想当一个点灯的人,让你们在光亮中可以看见,看见那一本本被奇特地写出来的书,夜晚梦见里面的故事,白天的时候也必然想起和流连。一个孩子一天天地向前走去,长大了,很有知识,很有技能,还善良和有诗意,语言斯文……

同样是长大,那会多么不一样!

003 魔术师的小象

自己的书

优秀的文学书，也有不同。有很多是写给成年人的，也有专门写给孩子和青少年的。专门为孩子和青少年写文学书，不是从古就有的，而是历史不长。可是已经写出来的足以称得上琳琅和灿烂了。它可以算作是这二三百年来我们的文学里最值得炫耀的事情之一，几乎任何一本统计世纪文学成就的大书里都不会忘记写上这一笔，而且写上一个个具体的灿烂书名。

它们是我们自己的书。合乎年纪，合乎趣味，快活地笑或是严肃地思考，都是立在敬重我们生命的角度，不假冒天真，也不故意深刻。

它们是长大的人一生忘记不了的书，长大以后，他们才知道，原来这样的书，这些书里的故事和美妙，在长大之后读的文学书里再难遇见，可是因为他们读过了，所以没有遗憾。他们会这样劝说："读一读吧，要不会遗憾的。"

我们不要像安徒生写的那棵小枞树，老急着长大，老以为自己已经长大，不理睬照射它的那么温暖的太阳光和充分的新鲜空气，连飞翔过去的小鸟，和早晨与晚间飘过去的红云也一点儿都不感兴趣，老想着我长大了，我长大了。

"请你跟我们一道享受你的生活吧！"太阳光说。

"请你在自由中享受你新鲜的青春吧！"空气说。

"请你尽情地阅读属于你的年龄的文学书吧！"梅子涵说。

现在的这些"国际大奖小说"就是这样的书。

它们真是非常好，读完了，放进你自己的书架，你永远也不会抽离的。

很多年后，你当父亲、母亲了，你会对儿子、女儿说："读一读它们，我的孩子！"

你还会当爷爷、奶奶、外公和外婆，你会对孙辈们说："读一读它们吧，我都珍藏了一辈子了！"

一辈子的书。

The Magician's
Elephant
魔术师的**小象**

目录

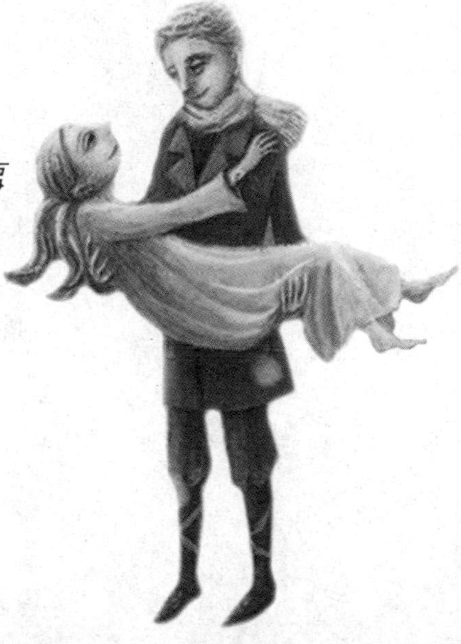

魔术师的 **小象**

第一章

『从天而降』的小象

上上个世纪末,有个叫巴尔提斯的城市,城市的集市里有个小男孩儿,他头上戴着一顶军帽,手里拿着一枚硬币。男孩儿名叫彼得·奥古斯塔斯·杜齐恩。他手里的硬币不是他自己的,而是他的监护人——老兵维尔纳·卢茨的。维尔纳·卢茨让他用这枚硬币来集市买鱼和面包。

集市上有卖各种东西的摊位,有鱼摊儿、布摊儿、面包摊儿以及银器摊儿。这天,集市上突然冒出了一顶占卜师的帐篷,帐篷是红色的,就立在那些毫不显眼的各色摊位中间。帐篷上贴着一张纸,上面有些手写的字,字写得很拥挤但内容却很大胆:只需两先令,你就能得到你心中任一个问题的答案。

彼得念了一遍又一遍。这样神乎其神的保证,顿时搅得他透不过气来。他低头看着手中仅有的那枚两先令硬币,自言自语道:"可我不能花这钱呀。真的,如果花了,维尔纳·卢茨要问钱哪里去了,我就得说谎，说谎是可耻的啊。"

他把硬币揣进了衣兜，把军帽摘了下来，接着又戴上。他迈步离开帐篷，然后又走回来，站在那里想着纸上那句大胆而奇妙的话。

"但我必须知道……"他终于说道，边说边掏出了衣兜里那枚两先令的硬币，"要想知道真相，我只能这么做。但这事我是不会对他说谎的，不说谎至少还能保住好名声……"话音未落，彼得已走进帐篷把硬币递给了占卜师。

占卜师看都没看他一眼就说："一枚硬币买一个答案，只有一个。明白吗？"

"明白！"彼得回答。

他站在有亮光的地方。这地方很窄小，这点亮光是透过帐篷开口处射进来的。他任由占卜师抓着自己的手仔细察看。占卜师来来回回反反复复地看，就好像他的手掌是一本写着许多小字的《彼得传》一样。

"哦。"她终于说话了。她松开彼得的手，半眯着眼睛看着他的脸，"是啊，当然了，你只是个小孩子嘛。"

"我十岁了。"彼得说道。他摘下帽子,让身子尽可能地挺拔,"我正在锻炼自己成为勇敢而忠诚的士兵。可这和我多大没有关系。你收了我两先令,现在必须回答我的问题。"

"你想成为一个勇敢而忠诚的士兵?"占卜师笑出了声,但马上又收住笑容说,"很好,勇敢而忠诚的士兵,如果你说和年龄没关系,那就没关系。问吧。"

彼得感到有点害怕。如果这次一旦知道了真相,他承受不了怎么办?也许他并不是真想知道真相呢?

"说吧,"占卜师催促他说,"问吧。"

"我的父母亲……"彼得开口了。

"这就是你要问的问题吗?"占卜师说,"他们已经去世了。"

彼得的小手有些颤抖。"这不是我要问的,"他说,"这个我已经知道了。你得说我还不知道的事。你得告诉我一件别的——你必须得告诉我……"

占卜师眯起了眼睛。"哈,"她说,"是问她?你妹妹?你要问的是这个吗?那好,她还活着。"

005 魔术师的小象

听到占卜师的话，彼得的心怦怦直跳。她还活着！她还活着呢！

"不是这个，求你了！"彼得说着，闭上眼睛，全神贯注地想着，"如果她真活着的话，我就要找到她，所以我的问题是，我怎样才能找到她住的地方呢？"

他继续紧闭双眼，等待着。

"小象！"占卜师告诉他。

"什么？"他一下子睁开双眼，好确定自己是不是听错了。

"你必须跟着小象走，"占卜师告诉他，"它会把你领到你妹妹那里去。"

刚才彼得很兴奋，心都提到嗓子眼儿了，听了占卜师后面的话，他却很失望，心又慢慢地沉了下去。他戴上帽子，说道："你在哄我呢，这里根本没有小象。"

"你说得很对。"占卜师肯定了他的话，"但我说的也确实是真的，至少现在看来是这样。也许你还没注意到，事实真相往往是在不断变化的。"她对彼得使了个眼色，接着说，"很快你就会明白了。"

彼得走出帐篷。灰蒙蒙的天空布满了厚厚的云层，但集市到处都是欢笑喧闹的人群。小贩们高声叫卖着，孩子们大声哭闹着。集市当中还站着一个乞丐，他正唱着一首关于黑暗的歌。乞丐的身边蹲着一条黑色的狗。

根本连一头象都看不见。

尽管如此，彼得执著的心还是不愿安静下来。他在反复想着那简明又令人难以置信的字眼儿：她活着，她活着，她活着……

怎么可能呢？

不会，不可能，如果她活着，就说明维尔纳·卢茨对他说了谎，而对于一个士兵、一个高级军官来说，说谎绝不是件光彩的事。维尔纳·卢茨是绝对不会说谎的。的确，他不会说谎！

他会吗？

"现在是冬天，"乞丐唱道，"天又黑又冷，一切都面目全非，真相永远都在改变……"

"我不知道真相是什么，"彼得说道，"但我知道我必须坦白，必须告诉维尔纳·卢茨我今天做的事。"他挺起胸膛，正了正帽子，开始踏上返回波洛

007 魔术师的小象

涅兹公寓的漫长路程。

他一直在走，时间也由下午转为黄昏，天色渐渐暗了下来，灰白的阳光逐渐被暮色所替代。他边走边琢磨：是占卜师在说谎；不，是维尔纳·卢茨在说谎；不，就是占卜师说谎；不，不，是维尔纳·卢茨……回来的路上，彼得一直这样不停地猜想着。

回到波洛涅兹公寓，彼得非常缓慢地走在通向顶层的楼梯上，每走一步他都小心翼翼，每走一步他都要想一遍：他说谎；她说谎；他说谎；她说谎……

老兵正坐在窗边的椅子上等他。一根蜡烛照亮了他放在腿上的几张作战地图，烛光将他巨大的身影投射到身后的墙壁上。

"你回来晚了，士兵杜齐恩。"维尔纳·卢茨说，"而且你还空着手回来。"

"先生，"彼得说着，同时摘下了帽子，"我没有带回来鱼和面包。我把钱给了占卜师。"

"占卜师？"维尔纳·卢茨问，"占卜师！"他用那只木制的左脚敲着木地板。"占卜师？你必须解释清楚！"

彼得一言不发。

维尔纳·卢茨用木脚"咚咚咚"地敲着地板。"我等着呢，"他说，"士兵杜齐恩，我在等着你解释。"

"只是因为我有疑问，先生。"彼得说道，"我也知道我不该有什么疑问……"

"疑问？疑问！什么疑问，你解释清楚。"

"先生，我解释不清楚。回来的路上我一直在努力，但还是没有找到充分的理由。"

"很好。那么，"维尔纳·卢茨说道，"就让我来替你解释吧。你花了并不属于你自己的钱，而且花得很愚蠢。你的做法很丢脸，要受惩罚。今天晚饭没你的份儿了，你就饿着肚子睡觉吧。"

"先生，好的，先生……"彼得回答道，但却拿着帽子继续站在维尔纳·卢茨面前。

"你还有什么话想说吗？"

"没有了……有！"

"你到底想说什么？有，还是没有？"

"先生，您曾经说过谎话吗？"彼得问道。

"我？"

"是的。"彼得应道，"您，先生。"

维尔纳·卢茨在椅子里又把身子坐直了些。他抬起一只手一遍一遍地捋着胡子，确定把胡子整整齐齐地拢在了一起，才终于开口说道："是你，花了根本不属于你的钱！是你，像傻瓜一样花掉了别人的钱！你却要对我提什么谁说谎？"

"对不起，先生……"彼得说。

"我很确定是你在说谎，"维尔纳·卢茨说道，"而且你也该离开了。"他拿起腿上的作战地图，靠近烛光，小声对自己嘀咕着："这样，必须这样，然后……这样……"

夜深了，蜡烛熄灭了，屋内一片漆黑。老兵躺在床上打着呼噜，彼得·奥古斯塔斯·杜齐恩躺在自己的地铺上，眼睛盯着天花板，心里想着：他说谎；她说谎；他说谎；她说谎。

有人说谎，但我不知道是谁。

如果她说谎，而且还荒谬地提到什么象，那我就是个傻瓜，维尔纳·卢茨说得没错——我居然傻到相信有一头小象会出现，并且它会把我领到死去的妹妹那里。

但如果他说谎，那么我妹妹就还活着。

想到这，他的心怦怦直跳。

如果他说谎，那么阿黛尔就还活着。

"但愿是他说谎！"彼得在黑暗中大声说。

他被自己这种大逆不道的想法吓了一跳，而且惊讶于自己居然大声地表达这样一种情感，这可不是军人该做的。他的心又怦怦跳了起来，比刚才跳得更厉害。

离波洛涅兹公寓不远处，在公寓楼顶对面，布利芬多尔夫歌剧院矗立在冬夜的黑暗之中。同一天晚上，在歌剧院的舞台上，一个老魔术师竟然表演失败了。他这次表演的魔术是他魔术生涯中最令人震惊的一次。

他本来打算变出一束百合花，可是，百合花没变出来，却变出了一头小象。

随着一声"稀里哗啦"的噪音，泥灰和瓦片坍塌而下，那头小象穿过歌剧院的天花板，直接落到一位贵妇人的大腿上。当时，那位贵妇人——贝蒂恩·拉沃恩夫人正端坐着，准备接受魔术师要给她变的百合花。

贝蒂恩·拉沃恩夫人的腿被砸伤了。

从那以后，她的生活就离不开轮椅了。不仅如此，即使在与小象和屋顶毫无关系的场合，她也常常会神经兮兮地大声说："也许你不知道，我是被一头象砸残废的！是一头穿过屋顶掉下来的象把我砸残废的！"

在贝蒂恩·拉沃恩夫人的要求下，魔术师立刻被关押了起来。

那头象也被关了起来。

它被锁在一个马棚里。马棚里有根牢牢地钉在地上的铁柱子，柱子上拴着一条锁链，锁链的另一头拴着象的左腿。

从屋顶刚刚掉下来的时候，小象唯一的感觉就是头晕目眩。如果它把头向右或者向左转得太快，就会感到天旋地转，非常害怕。所以它不转头，只是闭着眼睛，一直不睁开。

人们对着它大声吵闹和吼叫，声音震耳欲聋，但小象不予理睬，它不知道那些人在喊什么，只希望周围能够快点安静下来。

几小时之后，头晕的感觉消失了。小象睁开眼睛看了看周围，才发现不认识这个地方，不知道自己到底在哪里。

它知道只有一件事是真实的。

眼前这个地方是它不该来的。

眼前这个地方不属于它。

013 魔术师的小象

第二章

失落的魔术师

第二天，彼得又来到集市广场。那个占卜师的帐篷不见了。这次，彼得听候吩咐，又拿着一枚两先令的硬币来到集市。老兵告诉他用这枚硬币必须购买的东西，他交代得非常详细，令人难以忍受。首先要买的是面包，必须是至少放了一天的，两天的更好，如果能找到三天的那就最好了。

"试试看能不能找到已经发霉的面包。"维尔纳·卢茨说，"干硬的面包最能帮你做好当士兵的准备了。士兵必须习惯啃像石头一样硬的干面包，这样能使牙齿坚固。而坚固的牙齿能练就坚强的心，从而使你成为一个勇敢的士兵。是的，没错，我说的绝对是对的！"

彼得不明白干硬的面包、坚固的牙齿和坚强的心到底有什么关系，但是那天早上维尔纳·卢茨跟他说的话，使他越来越明显地感到那个老兵又在发狂，从他那儿别想听到什么有意义的话。

"你必须跟卖鱼的买两条鱼,不要多。"维尔纳·卢茨说着,前额上渗出汗珠,胡子上挂着口水,"跟他要最小的,要别人不要的。对啦,你必须跟他要那些其他鱼都不愿视其为同类的鱼! 要把最小的鱼带回来,但不要——我再说一遍——不要空手回来见我,不要再编出一堆什么占卜师的谎言! 我纠正一下我说的话! 说'占卜师的谎言'是多余的,占卜师嘴里说出的话根本就是谎言! 你,士兵杜齐恩,必须,必须找到小得不能再小的鱼!"

彼得站在集市广场买鱼的队伍里,心里想着占卜师、他的妹妹、小象、老兵的狂热,特别是小鱼。他心里还琢磨着"谎言"这件事,到底谁说谎了,谁没说谎;还有当一个光荣而忠诚的士兵意味着什么。因为满脑子里想着这些事,他并没有全神贯注地听卖鱼人和排在他前面的妇人讲的故事。

"其实,他并不擅长表演魔术,观众对他也没抱太多希望,你知道,没人盼望什么。"卖鱼人在围裙上擦了擦手,"他没有对观众许诺要变出什么特别的东西来,观众也没指望看到什么特别的表演。"

"毕竟,现如今谁还会指望什么特别的事呢?"那个妇人说道,"我是不会。我已经够了,不指望发生什么特别的事了。"她指着一条大鱼,"给我一条这么大的鲭鱼,好吗?"

"这条就是鲭鱼。"卖鱼人说着,把那条鱼拎到秤盘上。这条鱼很大,维尔纳·卢茨是不会同意买的。

彼得仔细盯着卖鱼人选鱼。他肚子饿得咕咕直叫,但又很着急,因为他根本找不到小得能让老兵高兴的鱼。

"再来几条鲶鱼,"妇人说,"三条。要胡须稍长的行吗?味道更好。"

卖鱼人把三条鲶鱼放到秤盘上,继续说道:"他们都坐在那里,贵族、贵妇人、王子和公主,都端坐在歌剧院里,没人抱太多期望。你知道他们看到了什么吗?"

"我哪知道!"妇人说,"我怎么能知道那些贵族们看到什么呢?"

彼得紧张不安地往前挪动着脚步,心里想着如果买不着足够小的鱼会发生什么,会受到怎样的对待。他不知道处于疯狂状态的维尔纳·卢茨会说什么或者做什么。他那种疯癫会反复发作,而且特别可怕。

"噢,他们看到了一头象——这太不可思议了!"

"象?!"妇人惊道。

"象?"彼得又听到一个人说出了那个不可能的字眼儿,他感到大吃一惊。那种震惊从脚趾一直传到头顶,让他不由得后退了一步。

"一头象!"卖鱼人说,"穿过歌剧院屋顶,直接坠落到一个叫拉沃恩的贵妇人身上。"

"象……"彼得低声说。

"哈哈。"妇人说,"哈哈! 这根本不可能。"

"确实是那样,那头象砸断了她的两条腿!"

"哎呀,真是滑稽,我的朋友玛赛尔就是给拉沃恩夫人洗衣服的,世界会这么小吗?"

"一点都没错!"卖鱼人说。

"但是,请等等,"彼得说,"象,象。你知道你在说什么吗?"

"是的,"卖鱼人回答,"我说的是象。"

"象穿过屋顶掉下来?"

"我不就是这样说的吗?"

"请问,现在那头象在哪里呀?"彼得问道。

"警察把它扣下了！"卖鱼人说。

"警察？！"彼得惊呼道。他把手抬起来，摸索着帽子，把它摘下来，又戴上，接着又摘了下来。

"这个孩子干吗老玩他的帽子？"妇人对卖鱼人说。

"正如占卜师说的那样，"彼得说道，"一头象！"

"怎么回事？"卖鱼人问道，"谁说的？"

"谁说的没有关系，"彼得说，"小象出现了，它的出现很重要。别的都无所谓。"

"你到底是什么意思？"卖鱼人问道，"我真的很想知道。"

"她活着呢，"彼得说，"她还活着！"

"那太好了，是吧？"卖鱼人说，"我们应该为她活着而高兴，不是吗？"

"对啊，可不是嘛！"妇人说，"但我想知道制造事端的魔术师怎么样了？他在哪里呢？"

"关起来了，"卖鱼人说，"他们把他关在最破的牢房里，然后把钥匙扔掉了！"

关着魔术师的牢房又黑又小，在离地面很高的地方有一个窗子。夜里，魔术师躺在铺着斗篷的草垫子上，望着窗外那漆黑的世界。天空总是乌云密布，但有的时候，如果魔术师看的时间够长的话，他会看见从云层的缝隙间露出一颗异常明亮的星星。

"我打算变出来的只是百合花，"魔术师对着星星说，"我的目的就是一束百合花……"

可是，事实却不遂人愿。

是啊，那天晚上他是想变出一束百合花的……

那天晚上，站在布利芬多尔夫歌剧院的舞台上，他发现观众没兴趣看他那小小的娱乐表演，只想等他退场后好欣赏真正的"魔术"——小提琴大师演奏的美妙音乐。魔术师备受打击，强烈意识到自己是在浪费时间。

所以他决定施展"空手变百合"的魔术，于是，他念起了那个他师傅在很久以前教给他的咒语。他清楚地知道，那个咒语有很大的魔力，而且有时候会造成时空错乱的情况。但是，那天他真的太想一鸣惊人了！

没错，他的确"一鸣惊人"了……

那晚在歌剧院，面对着全场观众爆发出的尖叫

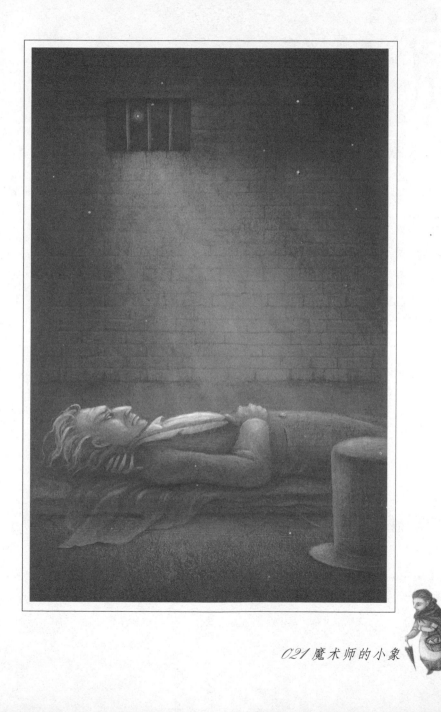

021 魔术师的小象

声、口哨声和指责声,魔术师呆呆地站在那个巨兽旁边,自豪地感受着它的气息——烂苹果、发霉的纸和粪便的味道。他伸出一只手,放在它的胸前,默默地感受着它的心跳。

这个动物,他想,这个动物是我变出来的。

那天晚上的晚些时候,每个权威人士(市长、公爵、王子、警察局局长)都命令他把那头象变回去,让它离开,赶紧消失。魔术师尽责地念起了咒语,按魔法所要求的从后往前倒着说出那些话,但却无济于事。那头象仍然毫无疑问、显而易见、实实在在地站在那里。它的出现显然证明了他的魔力。

他本打算变出百合花的;是的,他起初是这么打算的。

但是,他也想表演点"真正"的魔术。

他成功了。

所以,尽管他对偶尔出现的星星说了点什么,但他不对自己做过的事情感到后悔。

那颗星星根本不是普通的星星,而是金星。

历史资料记载,那年的金星格外明亮……

第三章

警察局局长带来的消息

　　巴尔提斯市的警察局局长是一个严格按照法律条文办案的人。他反复查找治安手册，试图找到依据来处置这头巨兽，因为它不知从什么地方冒出来，弄坏了歌剧院屋顶，甚至砸残了一位贵妇人。但他却没能找到任何相关的只言片语。

　　所以，无奈之下，他只好征求下属的意见，看看有什么办法处置那头象。

　　"先生！"一个年轻的副队长说，"它已经出现了。我想如果我们耐心等待的话，也许它会消失的。"

　　"那头象看上去像是会消失的样子吗？！"警察局局长说道。

　　"先生，"那位副队长不解地说，"您说什么，先生？"

　　"我觉得你就是缺心眼儿，"局长说，"这很明显，你的缺心眼儿就如同那头象一样显而易见，而且比那头象还不可能消失。"

"是啊，先生……"副队长皱起眉头，想了一会儿，"您说得对，先生，我是有点缺心眼儿。"

这一串对话之后是长时间令人窒息的沉默。被召集来的警察们拖着脚步慢吞吞地走着。

"这简单，"一个警察终于开了口，"那头象是罪犯，因而必须像罪犯一样接受审判，像罪犯一样接受惩罚。"

"但那头象为什么是罪犯呢？"长着大胡子的矮个子警察问道。

"那头象为什么是罪犯？"警察局局长重复道。

"是啊，"那个名字叫利奥·马蒂安尼的矮个子警察接着问道，"为什么呢？如果魔术师向窗子上扔一块石头，你会责备打碎了窗子的那块石头吗？"

"什么样的魔术师会扔石头？"警察局局长反问道，"怎么可能有扔石头这种魔术表演呢？"

"您误会我的意思了，先生，"利奥·马蒂安尼说道，"我只想说那头象并没有穿破歌剧院的屋顶掉落下来的主观动机。但凡有头脑的象哪希望发生这种事呢？如果它没有动机，它怎么会有罪呢？"

"我是问你有什么解决的办法，"警察局局长说。他把双手放到头顶。

"是啊。"利奥·马蒂安尼回答道。

"我是问应该采取什么行动。"局长说。他用两只手扯着自己的头发。

"没错！"利奥·马蒂安尼又回答道。

"而你却跟我说什么有头脑的象和它的动机！"局长喊道。

"我认为这是有关系的，先生。"利奥·马蒂安尼说。

"他认为这是有关系的，"局长咆哮着，"他认为这是有关系的！"他扯着自己的头发，脸涨得通红。

"先生，"另一个警察说，"我们给象找个家怎么样，先生？"

"好啊！"局长说道。他转过身，面对话音刚落的警察，"我为什么没想起来呢？让我们立刻把它送到'由于任性而被迫做了坏事的大象收容所'吧。就在街边上，对吗？"

"是吗？"警察问道，"真的？我还不知道呢。在这个文明的时代，有很多令人称颂的慈善机构。我们的思维简直跟不上这些机构设置的速度。"

警察局局长使劲儿地扯着自己的头发。"走开，"他轻声说道，"你们都走。我自己解决这个问题，不用你们帮助。"

警察们一个个地离开了警察局。

小个子警察是最后一个离开的。他向局长扬了扬帽子。

"祝您晚安，先生，"他说，"我请求您仔细考虑一下：那头象除了是头象之外，什么罪也没有。"

"离我远点，"警察局局长说，"求你了。"

"晚安，先生，"利奥·马蒂安尼说，"晚安。"

小个子警察在傍晚的暮色之中往家走，边走边用口哨吹着一首忧伤的歌，同时心里猜想着那头象的命运。

他认为，局长问的问题不对。

重要的、需要问的问题应该是：那头象从哪里来？它来到巴尔提斯市意味着什么？

如果它只是第一头象，后面还有很多头怎么办？如果，一个接一个，非洲所有的哺乳动物和爬行动物都被召集到遍布欧洲的所有歌剧院的舞台上，该怎么办呢？

如果接下来，鳄鱼、长颈鹿、犀牛都冲破屋顶坠落下来怎么办？

利奥·马蒂安尼具有诗人般的想象力，很喜欢思考没有答案的问题。

他喜欢问"如果"，"为什么不"以及"有可能"。

利奥走到小山顶，停了下来。山下面，掌灯人正在点燃林荫道旁的街灯。利奥·马蒂安尼站在那里观望着，一盏接着一盏，那些圆圆的灯仿佛焕发生命，亮了起来。

如果那头象是带着非常重要的信息来的怎么办？

如果那头象的到来将要无法挽回、不可否认地改变一切又该如何？

利奥站在小山顶上等了很久，直到下面马路上的街灯全部点亮了，他才继续往山下走，走上了亮灯的小路，向家里走去。

他边走边吹着口哨。

如果？为什么不？有可能？利奥·马蒂安尼吹出

了自己火热、疑惑的心情。

如果？

为什么不？

有可能？

彼得站在波洛涅兹公寓顶层房间的窗子旁边。他没等看见利奥·马蒂安尼就先听见了他的声音，因为利奥总吹口哨，所以彼得总能未见其人先闻其声。

他一直等到警察出现，才忽的一下打开窗子，探出头去。他大声喊道："利奥·马蒂安尼，从屋顶落下来的那头象真在警察局里吗？"

利奥停下脚步，抬头向上看。

"彼得，"他脸上露出了笑容，"彼得·奥古斯塔斯·杜齐恩，波洛涅兹公寓的居民，顶层世界的小杜鹃。确实有一头象，是真的，它在警察的监护之下。那头象被关起来了。"

"在哪里？"彼得问。

"我不能说。"利奥·马蒂安尼回答，"我也说不出来，因为我也不知道。你知道，考虑到象是非常危险易怒的罪犯，警察们都得严格保守秘密。"

030 魔术师的小象

"关上窗子，"躺在床上的维尔纳·卢茨命令道，"现在是冬天，天气很冷。"

正是冬季，没错。

的确，天气相当冷。

但是就算是在夏天，当维尔纳·卢茨处于奇怪的狂热状态的时候，他也会抱怨天气寒冷，要彼得帮他关上窗户。

"谢谢你！"彼得对利奥·马蒂安尼说道。他关上窗子，转过身冲着那个老人。

"你们刚才在说什么？"维尔纳·卢茨问他，"从窗子那儿喊什么废话呢？"

"一头象，先生，"彼得说，"是真的，利奥·马蒂安尼说的是真的。来了一头象，就在这里呢。"

"象？"维尔纳·卢茨说，"呸！虚构的动物，预言里的动物，不知从哪里来的魔鬼！"他骂累了，便躺下来靠在枕头上，接着又突然条件反射般地坐直身子，"听！这砰砰声是步枪的响声吗？这隆隆声是大炮的响声吗？"

"不是，先生，"彼得说，"没有响声。"

"魔鬼！象！虚构的动物！"

"不是虚构的,"彼得说,"是真的。那头象是真的。利奥·马蒂安尼是依法办事的公务人员,他不会说谎的。"

"呸,"维尔纳·卢茨不屑地说,"我啐那个大胡子公务员和他想象的那个动物。"他又靠着枕头躺下了。他把头先转向一边,然后又转向另一边。"我听见了,"他说,"我听见了作战的声音。战斗打响了。"

"所以,"彼得轻声自语,"一定是真的,不是吗?现在有了象,这说明占卜师是对的,我的妹妹还活着。"

"你的妹妹?"维尔纳·卢茨问道,"你妹妹死了。我得告诉你多少次才行?她根本不吸气,也不呼气了。他们都死了。看看外面的野地,你会看到:他们都死了,你父亲也在他们中间。看看,看看!你父亲躺在那里,死了。"

"我看到了。"彼得说。

"我的脚呢?"维尔纳·卢茨问道。他用眼睛胡乱地扫视了一遍屋子。"它在哪里?"

"在床头柜上。"

“在床头柜上，先生！”维尔纳·卢茨纠正他。

“在床头柜上，先生。”彼得无奈地重复了一遍他的话。

“好啦。”老兵拿起那只假脚，深情地拍了拍，“好啦，好啦，老朋友。”然后又把头靠在了枕头上。他把毯子拉到下巴。“很快，”他说，“很快我就会装上脚，士兵杜齐恩，我们要进行军事训练，你和我。我们将把你锻炼成一个了不起的士兵。你会成为像你父亲一样的人。就像他一样，你会成为一个勇敢而忠诚的士兵。”

彼得转过身，不再看维尔纳·卢茨，而是望向窗外那黑暗的世界。楼下传来了“砰”的关门声，接着又一下。他听见了“咯咯”的笑声，知道那是利奥·马蒂安尼的妻子正在迎接丈夫回家。

彼得很想知道，如果有一个亲人不管多晚都等着你回家，并张开双臂迎接你，那是什么感觉呢？

他记起了黄昏时分发生在一个花园里的情景。头上是紫色的天空，地上是点亮的明灯。彼得当时年纪很小，父亲把他一次一次地举起来，高高地抛向空中，一次一次地接住。母亲也在那里。她身穿一件

白色的衣服，在紫色的黄昏中闪闪发亮。她的肚子
圆滚滚的，像个气球一样。

"别摔着他，"母亲对父亲说，"看你敢摔着他。"
她大笑着说。

"我不会的，"父亲说，"也不能啊，因为他是彼
得·奥古斯塔斯·杜齐恩，他总会回到我身边的。"

一次又一次，父亲把他高高地抛向空中。一次又
一次，他感到自己瞬间浮在空中、无依无靠，但只是
瞬间而已，然后他又被拉了回来，返回到亲切的地
面和正在等待他的父亲那温暖的怀抱。

"看见了吗？"他的父亲对母亲说，"他总能回到
我的怀里。"

现在波洛涅兹公寓顶层房间里完全黑了下来。
老兵躺在床上辗转反侧。"关上窗子，"他说，"现在
是冬天，天气很冷。"

彼得的父母所在的花园似乎非常遥远，他几乎
认为，那种记忆和那个花园曾经完全存在于另外一
个世界。

但是，如果那个占卜师可以信赖的话（她一定可
以信赖，一定！），那么那头象就知道通往那个花园

的路了,它能领他到那里。

　　"行了,"维尔纳·卢茨说,"必须关上窗子。太冷了,真是太冷了。"

第四章
拉沃恩夫人

The Magician's
Elephant

小象到来的这个冬天，对于巴尔提斯市的人来说特别难熬。天空布满了又厚又暗的云层，遮住了太阳的光芒，连续多日整个城市都仿佛沉浸在无尽的黄昏之中。

　　天气冷得无法想象，难以忍受。

　　黑暗笼罩了一切。

　　因象致残的拉沃恩夫人，陷入了深深的悲苦之中，她到监狱去找魔术师。

　　她是傍晚时分来的。

　　当她坐着轮椅沿着长长的走廊驶过来时，魔术师能听到车轮吱吱的响声，就好像在向他问罪。不一会儿，贵妇人就出现在他的面前。她的眼睛空洞而无助地圆睁着，残废的双腿上盖着一条毯子，一位贴身仆人一刻不停地陪伴在她的身旁。这幕惨烈的情景让魔术师每看一眼，心中都不禁为之一震。

　　拉沃恩夫人开口对魔术师说："也许你不懂，我成了残废,是穿过屋顶坠落下来的象把我砸残的!"

魔术师回应她道:"拉沃恩夫人,我向您保证,我本来打算变百合花的。我只想变出一束百合花。"

从那之后,每天魔术师和贵妇人都急切地互相争论着,殊不知他们每天都在重复着同样的话。

就这样,在阴暗的监狱,每天下午魔术师和拉沃恩夫人都面对面地说着完全相同的话。

贵妇人的男仆名叫汉斯·艾克曼,当拉沃恩夫人还是个孩子的时候,他就开始服侍她了。她把他视为顾问和知己,事事都相信他。

在服侍拉沃恩夫人之前,汉斯·艾克曼住在山间的一个小镇里,那里有他的家:兄弟,父母,还有一条能够跳着越过镇外林间河流的狗。

那条河很宽,汉斯·艾克曼和他的兄弟们都跳不过去,甚至连成年人也跳不过去。但是,那条狗常常会奔跑着一跃而过,轻而易举,毫不费力。那是一条白色的小狗,除了能跳跃那条河外,别无特殊之处。

现在汉斯·艾克曼年龄大了,已经把那条狗的事全忘了,它那非凡的能力也已经被他忘在脑后了。

039 魔术师的小象

但是那头象穿过歌剧院屋顶坠落的那天晚上，男仆又想起了那条小白狗，那是很久以来的唯一一次。

站在监狱里，听着拉沃恩夫人和魔术师之间没完没了、一成不变的对话时，汉斯·艾克曼回忆起了自己的孩童时代，和兄弟们一起在河岸上等待着、注视着那条狗奔跑并猛地向空中腾跃。他还记得，那条狗在跳跃过程中总会扭扭身子，似乎用那个多余的动作得意地显示：这件别人做不了的事对它来说轻而易举。

拉沃恩夫人说："也许你不懂……"

魔术师说："我只想变出一束百合花……"

汉斯·艾克曼闭上眼睛，想着那条狗：它腾空在河面上空，白色的身体被太阳照得火红。

但是那狗叫什么名字呢？他回忆不起来了。它不在了，名字也随它飘走了。生命如此短暂，那么多美好的事物都消逝了，比如他的兄弟们。他不知道，也说不出。

拉沃恩夫人说："我成了残废，是一头象把我砸残的！"

魔术师说："我只想……"

"行了！"汉斯·艾克曼阻止道，同时睁开了眼睛。"你们说点实在的话吧。时间太短暂了，你们得说些有意义的。"魔术师和贵妇人都沉默了。

接着，拉沃恩夫人又开口说道："也许你不懂……"

魔术师说："我只想变出百合花……"

"够了！"汉斯·艾克曼又说。他抓住拉沃恩夫人的轮椅扶手，把它转过去。"够了。我实在受不了了，没法再听下去了。"

他把她推走了，沿着长长的走廊，推出监狱，进入巴尔提斯市午后的寒冷黑暗之中。

"也许你不懂，我残废了……"

"别说了，"汉斯·艾克曼说，"别说了！"

拉沃恩夫人陷入了沉默之中。

这就是她最后一次到监狱探访魔术师时的情形。

站在波洛涅兹顶层公寓的窗口，彼得能看见监狱的塔楼、市里最大的大教堂的尖顶和蹲踞在那上面怒目而视的怪兽。如果向远处望去，还能看见高高的山顶上那些雄伟壮丽的贵族们的豪宅。如果往下看，可以看见弯弯曲曲的鹅卵石街道和歪歪斜斜的瓦片屋顶的小店铺。他还能看见总是把巢筑在屋顶上面的鸽子，它们在没完没了、没头没尾地唱着悲伤的歌。

注视着这一切，他很难过，因为他知道自己需要和想要找的人就藏在某个地方，藏在某个屋顶下面，或许藏在某一条黑暗的小巷子里，但他却无法找到。

简直无法想象，居然会有一头象毫无缘由、毫无预兆、出人意料地出现在巴尔提斯市，然后又迅速失踪！而他，迫切想找到这头象的彼得·奥古斯塔斯·杜齐恩，却根本无法想象他的寻找竟然毫无头绪、毫无进展……

从屋里向外俯瞰整个城市，彼得感觉抱有希望是件很可怕也很麻烦的事，相反，放弃希望似乎要容易得多。

"别站在窗户那里，过来！"维尔纳·卢茨向彼得喊道。

彼得依然站着不动。现在他感觉自己很不喜欢看维尔纳·卢茨的那张脸。

"士兵杜齐恩！"维尔纳·卢茨又说。

"什么事，先生？"彼得回答着，仍然没有转过身。

"现在就要发起一场战争了，"维尔纳·卢茨说，"一场正义与邪恶的战争！你要为哪方而战？士兵杜齐恩！"

彼得转过身，面向老人。

"你怎么了？你在哭吗？"

"没有，"彼得说，"我没哭。"但当他把手放到脸上，才惊讶地发现自己的脸颊是湿的。

"没哭就好，"维尔纳·卢茨说，"士兵不能哭，至少不该哭。士兵是不允许哭的。如果士兵哭了，那就说明世界不正常了。听！你听见步枪的响声了吗？"

"没听见。"彼得说。

"哦，天气很冷，"老兵说，"不管怎样，我们必须进行军事训练。必须开始练走正步了。对，必须现在就开始练。"

彼得站着没动。

"士兵杜齐恩，正步走！"

彼得叹了口气。真的，他的内心很沉重，他感觉心脏都无法跳动了。他抬起一只脚，接着抬起另一只。

"抬高点，"维尔纳·卢茨说，"走的时候要用心，要像男子汉一样，像你父亲那样。"

那头象到底会给我带来什么呢？无论是站在原地不动还是漫无目的地走，他都在不停地思考着。占卜师告诉我的不过是美好而可怕的玩笑而已。我妹妹已经死了，没理由再抱什么希望了。

他走的时间越长，越确信这些事已经没有希望了。对于任何问题而言，以一头象作为答案都是荒谬的，而用"象"来作为解答内心深处最渴求的问题的答案，那岂不是荒谬至极?!

第五章
社交活动的焦点

巴尔提斯市的人们都被那头象迷得神魂颠倒。

无论是在集市、跳舞场、牲口棚、赌场、教堂，还是在街区广场，到处都是这样的议论——"那头象"，"穿过屋顶掉下来的那头象"，"魔术师变出来的那头象"，"砸残贵妇人的那头象"……

面包师们设计出一种扁平的特大型点心，里面填满奶油，上面撒上肉桂和糖，取名为蜜饯象耳，人们百吃不厌。

街头小贩高价叫卖着大块水泥，因为那些都是那头象落在舞台上时带下来的。

公园里表演着木偶戏。木偶象坠落在舞台上，把其他木偶压垮，逗得孩子们哈哈大笑，鼓掌欢呼。

教堂的讲道台上，传教士讲着神明的干预、命运的难料、罪恶的报应、魔法失败的可怕后果。

那头象戏剧性地意外现身也改变了巴尔提斯市人们的说话方式。例如，如果有人对某事深感惊讶或者深受震动，他就会说："你知道吗？我感觉就像那头象降落在我面前一样。"

而这个城市的占卜师们尤其忙碌。他们凝视着他们的茶杯和水晶球；他们给数以千计的人看手相；他们研究着他们的纸牌，清着嗓子预测即将发生的令人震惊的大事。如果象能毫无预兆地到来，那么宇宙之中一定已经发生了巨大的变化。恒星自动排成一条线等待着更加壮观的事情发生……

同时，在舞厅和舞场里，男人和女人们，无论高贵低贱，都跳着同样的舞蹈：一种摇摆笨拙的两步舞，当然舞蹈名叫"象"。

无论走到哪里，人们谈论的都是"象，象，魔术师的象"。

"它完全破坏了社交活动，"昆泰特伯爵夫人对丈夫说，"所有人都在谈论它。够了，这和战争一样有破坏性。实际上比战争更可怕。至少战争中穿着讲究的英雄能发表一番伟大的言论。但是我们这儿有什么呢？什么都没有，只有臭烘烘讨厌的动物，而人们还要坚持谈论个不停。我完全确信，如果再听见'象'这个字，我就会精神错乱。"

“象……”伯爵小声说。

“你说什么？”伯爵夫人突然转身盯着丈夫。

“没什么……”伯爵回答道。

“必须采取行动了！”伯爵夫人说。

“确实如此，”昆泰特伯爵表示同意，“那么谁愿意做呢？”

“我没听清楚，请再说一遍好吗？”

伯爵清了清嗓子：“我只想说，亲爱的，你必须承认现在发生的事确实非同寻常。”

“我为什么必须承认？它有什么不寻常？”

出事的那个晚上，伯爵夫人不在歌剧院现场，没有看到那个带来巨大变化的事件是如何发生的。而不能亲眼目睹大事发生是伯爵夫人平生最痛恨的事。

“好吧，你看……”昆泰特伯爵开始说。

“我没看见，”伯爵夫人说，“你现在也无法让我看见了。”

“是啊，”她丈夫说，“可是那是真实发生了的呀！”

和他妻子不同，伯爵那晚就在歌剧院。他的座位离舞台很近，感受到了象坠落时的气流的冲击。

"一定有办法来改变现状，"昆泰特伯爵夫人踱来踱去，"一定有办法来恢复正常的社交活动。"

伯爵闭上眼睛。他似乎又感受到了那头象到来时带来的微风。整个事件发生得很快也很慢。他以前从没哭过，那个晚上他却哭了，因为似乎象对他说话了："事情根本不像表面看上去的那样。哦，不，根本不像。"

居然能看见这样的事，能有这样的经历！

昆泰特伯爵睁开眼睛。

"亲爱的，"他说道，"我有办法了。"

"你？"伯爵夫人问。

"是的。"

"到底是什么办法呢？"

"如果人人都只谈论那头象，如果你渴望成为全城人们的焦点，那么你就得和人人都谈论的象在一起。"

"可是，你这话是什么意思啊？"伯爵夫人接着问，下唇不禁哆嗦起来，"你这话到底是什么意思？"

"我的意思是，亲爱的，你必须把魔术师的象带到家里来。"

当伯爵夫人要求宇宙以某种方式运行，宇宙就会点头哈腰地讨好她，按照她的吩咐去做。

没错，在象和伯爵夫人之间，事情就是这样发生的——由于她的宅邸还不够奢侈，设备还不够完善，而且没有象能通过的那么大的门，所以伯爵夫人雇佣了十几个能工巧匠，让他们昼夜不停地工作，在一天之内推倒了一面墙，安装了一扇颜色鲜艳装饰漂亮的巨型大门。

经伯爵夫人的传唤，那头象在夜色的掩护下，由警察局局长护送，穿过那扇特制的大门来到了伯爵夫人的宅邸。没想到这一事端能如此了结，警察局局长如释重负，他脱帽向伯爵夫人行了个礼便离开了。

他身后的门关上了，锁上了，那头象便成了昆泰特伯爵夫人的私有财产。伯爵夫人给了歌剧院很多钱，足够修缮整个房顶很多次。

那头象完全归昆泰特伯爵夫人所有了。伯爵夫人给拉沃恩夫人写了一封信，详细而巧妙地表达了对于此种可怕而费解的悲剧降临到贵妇人身上的悲

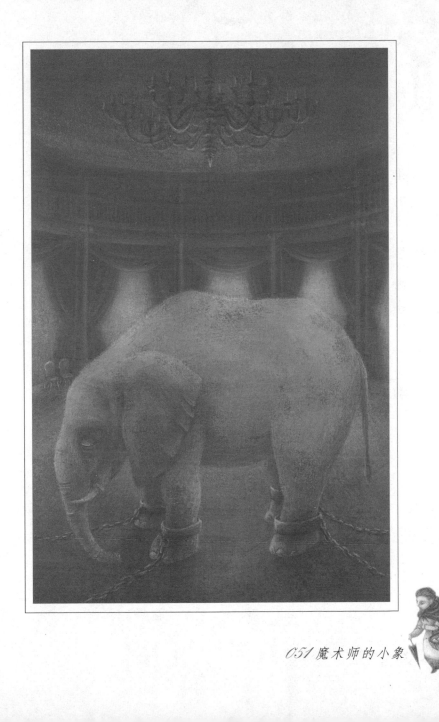

051 魔术师的小象

痛之情。她表示会全力热心地支持拉沃恩夫人进一步起诉和惩罚魔术师。

那头象的命运完全掌握在昆泰特伯爵夫人的手里了。伯爵夫人也确实为警察基金做出了非常慷慨的贡献。

你明白,那头象完完全全属于伯爵夫人了。

那头野兽被安排在舞场里,很多女士和先生,公爵和公爵夫人,王子和公主,伯爵和伯爵夫人都云集于此。

他们都聚在它的周围。

确切地讲,那头象和伯爵夫人真的成了社交活动的焦点。

第六章
梦　境

　　彼得做了个梦。

　　在一片田野里，维尔纳·卢茨在前面走着，他——彼得，在后面跑着追。

　　"快点！"维尔纳·卢茨喊他，"你必须像军人一样跑。"

　　那是一片麦田，彼得一边奔跑，麦子一边生长，麦子越长越高，很快他就完全看不见维尔纳·卢茨，而只能听见他的喊声了。"快点，快点！要像个男子汉，像个军人那样跑啊！"

　　"这不好玩，"彼得喊道，"一点都不好玩。我看不见他了。我永远都追不上他，跑还有什么意义呢？"

　　他坐在地上，仰望着蓝天。在他周围，麦子继续长高，形成一道金色的麦墙，把他围在中间，保护着他。他想，这就像被埋起来一样。我要永远待在这里，永远。没人会找到我的。

"对，"他说，"我要待在这儿。"

就在这时，他看到"麦墙"上有扇木门。

彼得站起身来，走向木门，敲了敲，门开了。

"喂，有人吗？"彼得喊道。

没人答话。

"喂，有人吗？"彼得又喊道。

依然无人应答，他便把门又推开了些，抬腿迈过门槛，走进房间。这是他曾经和父母亲一起住过的房间。

有人在哭。

他走进卧室，看见床上毯子里裹着个婴儿，没人照顾，正在哇哇大哭。

"这是谁的孩子？"彼得问，"喂，这是谁的孩子？"

婴儿继续哇哇大哭，哭声撕心裂肺，他俯下身，把孩子抱起来。

"哦，"他说，"嘘—— 好啦，好啦。"

他抱着婴儿，来回晃着。一会儿的工夫，婴儿就不哭了，睡着了。彼得出神地想，她多小啊，多轻啊，躺在自己怀里她多舒服啊。

房门还敞开着，他听得见风儿拂过麦浪时发出的悦耳声音。他从窗子往外看，看见麦田上的夕阳闪着金灿灿的光芒。

他能看到的只有阳光。

突然之间，他发现自己刚刚抱在怀里的那个孩子是他的妹妹阿黛尔。

彼得从梦中惊醒。他坐直身子，环顾一遍黑暗的房间，自言自语道："可是当时就是那种情况啊，她确实哭过。我记得很清楚，我抱过她，她哭过。所以不管怎么说，她不可能一出生就是死的，不可能像维尔纳·卢茨反复说的那样，连气儿都没喘过，她哭过。人只有活着才有可能哭啊！"

他又躺下，想象着妹妹在自己怀里的重量。

是的，他想，她哭过，我抱过她。我跟妈妈说过我会永远细心地照顾她。这都是真实发生过的事。我知道这是真的。

他闭上眼睛，又看到了梦里的那扇门，感受着在那个房间里的情形——抱着他的妹妹，望着外面洒满阳光的田野。

那个梦太美好了，不该怀疑它。

那个占卜师没有说谎。

如果关于他妹妹的事她没有说谎，那么关于那头象的事她说的可能也是真的。

　　"象……"彼得自言自语地念叨着。

　　对着窗外的黑暗，对着打着鼾的维尔纳·卢茨，对着熟睡而冷漠的巴尔提斯市所有的一切，彼得又一次大声地说出了那个字。"那头象是关键。它和伯爵夫人在一起。我必须想办法见到它。我要问一问利奥·马蒂安尼，因为他是公务员，知道该怎么办。肯定有办法进到伯爵夫人家里，到那头象跟前去。如此一来，一切谜团都会解开，一切错误最后都会改正过来，因为阿黛尔确实活着。她还活着！"

　　在离波洛涅兹公寓不到五个街区的地方，有一座阴森黑暗的大楼。这座大楼有一个与其外表不那么相称的名字，叫"永恒之光修女孤儿院"。楼的顶层是一个简陋的宿舍，里面有很多小铁床，一个挨着一个，一个接着一个地排成排，像排成队列的钢铁战士一样。在这个四处透风的大宿舍里，每张床上都睡着一个孤儿，睡在最后一张床上的是个小女孩，名叫阿黛尔。在歌剧院事件之后不久，她就开始梦见魔术师的小象了。

058 魔术师的小象

在阿黛尔的梦里，那头象来到孤儿院，敲了敲门，玛丽修女为那头象开了门。玛丽修女是孤儿院看门人，负责接收被遗弃的孩子，是唯一被允许开关"永恒之光修女孤儿院"前门的人。

"晚上好，"象说道，头偏向玛丽修女，"我来接那个叫阿黛尔的孩子。"

"什么？我没听清楚。"玛丽修女说。

"阿黛尔，"象说，"我来接她。她属于另外一个地方。"

"你大点声，"玛丽修女说道，"我老了，声音太小我听不清楚。"

"我说的是你们那个叫作阿黛尔的孩子，"象用稍微大一点的声音说道，"我来接她，要带她去她应该去的地方。"

"真对不起，"玛丽修女表情哀伤地说道，"你说的话我一点都听不懂。或许因为你是象吧？有这种可能吗？可能因为你是象才有这种交流障碍吧？你要知道，我不讨厌象。毫无疑问，你举止特别优雅，也很有礼貌。但是这改变不了事实，我不明白你说什么，我要关门了，请你走吧。晚安。"

说着，玛丽修女关上了门。

透过宿舍的一扇窗子，阿黛尔注视着那头象渐渐走远了。

"象女士！"她一边"砰砰"地敲着窗户一边喊着，"我在这里，在这里！我是阿黛尔。我是你要找的人。"

但是那头象没有停下来，继续走着。它沿着街道一直向前，变得越来越小，直到像梦里常出现的奇特而令人沮丧的戏法一样，那头象变成了一只老鼠，匆匆地钻进了排水沟，从阿黛尔的视线里完全消失了。

老鼠不见了，天开始下起了雪。街道上的鹅卵石和屋顶上的瓦都被白雪所覆盖。雪一直下个不停，直到一切都被覆盖。很快，世界好像不复存在，被白雪一点一点地抹掉了。

最后，世界上一切都没有了，只有阿黛尔独自一人站在窗前，等待着。

第七章

彼得的希望

巴尔提斯市好像被围困起来一样——包围它的不是外国军队，而是坏天气。

没有人记得曾经经历过这么彻底的一成不变的灰暗。

太阳到哪里去了？

阳光灿烂的日子不会再来了吗？

就算太阳不再照耀大地，那至少不会连雪都不下了吧？

来点什么吧，什么都行！

在如此黑暗恶劣的冬天里，老实说，把象这样一种奇异、可爱、有希望的动物一直锁着，锁在远离城市的地方，绝大部分居民认为这种做法公平吗？

不公平。

一点都不公平。

许多普通市民决定去敲关着象的房门。没有人开门，他们便尝试自己动手开门，可是门锁得很紧，插得很牢。

"你们就待在外面吧！"门好像在说着话，"里面的还要待在里面。"

而在如此寒冷灰暗的世界里出现这种情况似乎很不公平。

渴望并非总是两厢情愿：也许巴尔提斯市的市民渴望见到那头象，但象根本不想见到他们。对它来说，当发现自己被困在伯爵夫人的舞场里之后，它已经明白，情况向更坏的方向发展了。

枝形吊灯闪闪发光，管弦乐队演奏不停，舞场嘉宾大声欢笑，空气中弥漫着烤肉味、雪茄味和脂粉味，所有这一切都使它产生了怀疑，它内心非常痛苦。

它设法摆脱这种感觉。它闭上了眼睛，尽量长时间不睁开，但没有用，每当它再次睁开眼睛，眼前一切如故，毫无变化。

象感到胸部很疼。

它呼吸困难，这个地方太小了。

由于昆泰特伯爵夫人的幕僚们也很担心，所以经过多次缜密的商讨之后，伯爵夫人决定，为了让该市那些没有受邀参加舞会、晚宴和晚会的人得到启迪，为了让他们获得快乐并能感受到微微调整了的社会公正感，每月的第一个星期六，他们可以免费参观那头象，完全免费。

伯爵夫人让人印刷了海报和传单并在全市发放。利奥·马蒂安尼正走在从警察局回家的路上，他停下来读海报。既然伯爵夫人如此慷慨，他便思考自己怎样才能目睹那个奇观——那头已经属于伯爵夫人的象。

"啊，非常感谢，伯爵夫人，"利奥对着海报说，"这真是个好消息，确实是个好消息。"

一个乞丐带着一条黑狗站在门口，利奥·马蒂安尼话一出口就被乞丐听到了，乞丐把这些话编成了一首歌。

"这真是个好消息，"乞丐唱道，"确实是个好消息。"

利奥·马蒂安尼笑了笑。"是的，"他说，"真是个好消息。我认识一个小男孩，他非常想见到那头象。

他求我帮帮他，我也一直在努力想办法，瞧，眼前就是个好办法。他会高兴的。"

"一个很想见到象的男孩，"乞丐唱道，"他会高兴的。"他边唱边伸出手。

利奥·马蒂安尼把一枚硬币放到乞丐手里，给他鞠了个躬，然后继续往家走。他走得更快了，边走边用口哨吹着乞丐刚刚唱过的歌，同时在想：如果昆泰特伯爵夫人对象失去了新鲜感，开始厌倦它了该怎么办呢？

那会怎么样呢？

如果那头象想起它是森林的野兽而采取行动该怎么办呢？

那会怎么样呢？

当利奥终于来到波洛涅兹公寓时，他听到从顶楼传来打开窗户的声音。他抬头往上看，看见彼得正满脸希望地向下望着他。

"请问，"彼得说，"利奥·马蒂安尼，你想出让伯爵夫人接见我的办法了吗？"

"彼得，"他说，"顶层世界的小杜鹃！你正是我要见的人。但等一等，你的帽子呢？"

"我的帽子？"彼得问道。

"是的，我给你带来了好消息，我想，如果听这个消息，你可能想戴着帽子。"

"那等一会儿。"彼得说着，从窗口消失了，很快又返回来，头上端端正正地戴着帽子。

"那么现在，你穿着正装，准备听这个好消息，而我，利奥·马蒂安尼，就是自豪的信息传递员。"利奥清了清嗓子，"我高兴地通知你，为了教诲和启迪大众，魔术师的小象将对外展览！"

"可那是什么意思呢？"彼得问。

"意思是，每个月的第一个星期六你都可以看到那头象，彼得，这个星期六就可以！"

"哦，"彼得说，"我要去看它！我要找到它！"他的脸因为兴奋而变得锃亮，亮得使利奥·马蒂安尼忍不住转过身，看看太阳是否莫名其妙地冲出云层，直接照亮了彼得的小脸，尽管他知道这是很愚蠢的，因为太阳是不可能出来的。

当然，没有太阳。

"关上窗子！"老兵的声音从顶楼里传来，"现在是冬天，天气很冷。"

"谢谢你，"彼得对利奥·马蒂安尼说，"谢谢你。"说完他就把窗子关好了。

在利奥和格洛丽亚·马蒂安尼的公寓里，利奥坐着烤火，重重地叹了口气，然后脱下了靴子。

"哟，"他妻子说，"快把袜子给我。"

利奥脱掉袜子。格洛丽亚·马蒂安尼把袜子拿走，直接放进装满肥皂水的桶里。"要是没有我，"她说，"你根本不会有朋友，因为没有人能受得了你脚的臭味。"

"我不想让你吃惊，"利奥·马蒂安尼说道，"可事实上，在公众场所我一直穿着靴子，那样大家就不会闻到我的袜子或者脚的味啦。"

格洛丽亚走到利奥的身后，把手放在他的肩膀上。她弯下身吻着他的头顶。"你在想什么呢？"她问。

"我在想彼得呢，"利奥·马蒂安尼说，"知道能亲眼见到那头象，他高兴极了，脸上都闪着光，我从没见过他那个样子。"

"这种情况发生在那个孩子身上是不寻常的。"

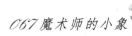

068 魔术师的小象

格洛丽亚叹了口气，"他被那个叫作什么的男人像犯人一样关在楼上。"

"他叫卢茨，"利奥说，"他的名字叫维尔纳·卢茨。"

"整天只有演练、走步，走起来没完没了。你知道，我听得见他们说话。那声音很可怕，太可怕了。"

利奥·马蒂安尼摇摇头。"总而言之，这是件可怕的事。他是个文雅的男孩，我认为训练他当兵真不适合。他内心充满了爱，许多的爱。"

"我想也是。"格洛丽亚说。

"他困在楼上没人可以爱，也没什么东西可以爱。有爱却没处施展真是遗憾。"利奥·马蒂安尼叹了口气。他把头转过来，抬头看着妻子的脸笑了一下。"我们在这儿也很孤独啊。"

"别这么说。"格洛丽亚·马蒂安尼说道。

"只是……"利奥说。

"不要说了，"格洛丽亚说，"不要说了。"她把一个手指放在利奥的嘴唇上。"我们已经努力过了，失败了。上帝不打算让我们有孩子。"

"我们怎么有资格谈论上帝的打算呢？"利奥·马

蒂安尼说。他沉默了很长时间。"如果……"

"你还敢吗,"格洛丽亚说,"我的心已经破碎过很多次了,再也无法承受你的那些傻问题了。"

但是利奥·马蒂安尼没有停下来。"如果……"他对妻子耳语道。

"不!"格洛丽亚说。

"为什么不?"

"不。"

"有可能……"

"不,"格洛丽亚·马蒂安尼说,"没有可能。"

第八章
阿黛尔的『梦』

The Magician's
Elephant

在"永恒之光修女孤儿院"那巨穴似的宿舍里，当阿黛尔在小床上睡觉时，又梦到象在不停地敲门。它敲呀敲，但这次玛丽修女不在，根本没人来开门。

阿黛尔醒来之后，静静地躺在床上，提醒自己那不是真的，只是一个梦。但每次闭上眼睛，她又会看见那头象在不停地敲门，它敲呀敲，却根本没人理会。所以她掀掉盖着的毯子，从床上下来，走下又冷又黑的楼梯，一直走到前门。到了那里，阿黛尔松了口气，如同以往一样，玛丽修女仍然坐在那里。她坐在椅子上，头深深地向前耷拉着，几乎搭在了她的肚子上。她的肩膀一起一伏，嘴里发出轻微的响声，好像在打呼噜。

"玛丽修女。"阿黛尔叫道，把手放在修女的肩膀上。

玛丽修女跳起来。"可是门没锁呀！"她大声说，

"门从不上锁。你只要敲一下就行！"

"我已经在里面了。"阿黛尔说道。

"哦，"玛丽修女说，"对，对。是你呀，阿黛尔，太好了。可你不该在这里，现在是半夜，你该躺在床上才对。"

"我做梦了。"阿黛尔说。

"做梦多有趣呀，"玛丽修女说，"你梦见什么了？"

"梦见象了。"

"哦，是关于象的梦。我发现关于象的梦特别感人，"玛丽修女说，"而且有预示性，能预示什么事情发生，是的，虽然我还没做过关于象的梦呢，但是我很希望能做这样一个梦。我们必须充满希望地等待才行。"

"一头象来这里敲门，但没人开门。"阿黛尔说。

"那不可能啊，"玛丽修女说，"我一直在这里啊。"

"还有一天夜里，我梦见你打开门，那头象就在门外，它找我，你却不让它进来。"

"可不要乱说啊，"玛丽修女说，"我谁都没拒绝过。"

"你说你不明白它说的话。"

"可我知道怎么开门，"玛丽修女轻声说，"当时就是我给你开的门。"

阿黛尔挨着玛丽修女的椅子坐在地板上，跪着凑到玛丽修女的胸前。"那时候我是什么样啊？"她问，"我第一次来你这里的时候，什么样啊？"

"哦，很小，像一粒尘埃。你刚出生了几个小时。你知道，当时你刚刚出生。"

"你高兴吗？"阿黛尔问，"你高兴我来吗？"她已经知道答案，但还是问了。

"听我说，"玛丽修女说，"你来之前，我正孤独地坐在这个椅子上，世界暗无天日。然后突然之间你就依偎在我怀里了，我低头注视着你……"

"你叫出了我的名字。"阿黛尔说。

"是的，我叫出了你的名字。"

"那你怎么知道的？你怎么知道我的名字呢？"

"接生婆说，这个名字是你妈妈去世之前给你起的，她给你起了'阿黛尔'这个名字。所以我知道你的名字，然后就这样轻轻地叫着你。"

"然后我就冲你微笑。"阿黛尔说。

"是的，"玛丽修女说，"突然之间，好像四处都亮了起来,世界充满了光明。"

玛丽修女的话像温暖而熟悉的毯子盖在了阿黛尔的身上,她闭上眼睛。"你认为,"她说,"象有名字吗?"

"哦,是的,"玛丽修女说,"所有上帝的创造物都有名字,每一个都有。我很确定,毫不怀疑。"

玛丽修女是对的,当然是这样:每一个人或物都有一个名字。

乞丐们也有名字……

在"永恒之光修女孤儿院"外一条小窄道旁的小巷子里,坐着一个乞丐,他的名字叫托马斯,跟他挤在一起的是一条高大的黑狗。他们正努力用自己的体温温暖着对方。

托马斯是否有过姓氏,他不知道。他是否有过母亲或者父亲,他也不知道。

他只知道自己是个乞丐。

他知道怎样伸手乞讨。

他也知道怎样唱歌,虽然他不知道自己是怎么知道的。

他知道怎样在空虚的日常生活中编出歌来，知道怎样把那空虚的生活用歌曲的形式唱出来，还唱得非常动听，竟然能预示出更加完整美好的未来世界。

那条狗的名字叫艾杜。

它过去曾一度奔忙于各个战场传送信息、书信和作战图，把信息从一个军官传递给另一个军官。

后来的某一天，在离莫德格奈尔很近的一个战场上，当这条狗在很多马匹、士兵和帐篷之间穿梭奔忙的时候，不幸遭到大炮的袭击。它被高高地抛到空中，头朝下落地的瞬间，它的眼睛受了伤，导致了永久性的失明。

当它坠入黑暗之中时，它只有一个念头，将来谁送信呢？

现在一睡着，艾杜就梦见自己在奔跑，运送着信件、地图、作战计划和只要它能及时送到就能赢得作战胜利的文件。

这条狗全身心地渴望能重新肩负起重任，它为此而生，并为此接受过训练。

077 魔术师的小象

艾杜想再一次传递极其重要的信息。

在小巷的严寒与黑暗里，艾杜悲戚地叫着，托马斯把手放到它的头上，并一直放在那里不动。

"嘘，"托马斯唱道，"睡吧，艾杜。黑暗降临，但有个男孩想见那头象，他会见到的，这是个好消息。"

在小巷的远处，过了公共停车场、警察局，再爬上生长着一排排树木的陡峭的小山，就可以看见昆泰特伯爵和伯爵夫人的宅邸了，在那座宅邸里黑暗的舞场上站着一头象。

这个时候它本该睡着了，但事实上它却毫无睡意。

象正自言自语地念着自己的名字。

它的名字对人类而言毫无意义，因为那是象的名字——它的兄弟姐妹通过这个名字来了解它，它们在嬉笑和游戏中叫这个名字来和它交流。这个名字是母亲专门给它起的，它母亲经常叫着这个名字并充满慈爱地和它说话。

它在内心深处，一遍又一遍念着这个名字，这个属于它自己的名字。

　　它在努力提醒着自己别忘了自己是谁。它在努力回忆，在某个地方，一个完全不同的地方，有人了解它，有人爱着它。

第九章
谎言被揭穿

The Magician's
Elephant

维尔纳·卢茨的烧退了，他又开始说那些无聊、老套、与部队有关的话题。他已经从床上起来，修剪好胡子，坐在地板上了。他正摆弄着搜集到的一些铅制士兵模型，准备把它们按照一次著名战役的阵形摆放。

　　"你看，士兵杜齐恩，这是冯·弗利肯哈蒙格尔将军特别英明的战术，这一战术他执行得相当漂亮和勇敢，把这些士兵从这里挪到那里，从而采取翼侧进攻策略，这完全出乎意料，非常漂亮，很有杀伤力。人人都钦佩这种天才做法。你呢，士兵杜齐恩？"

　　"是的，先生，"彼得说，"我也钦佩。"

　　"你应该钦佩，那么，专心点听。"维尔纳·卢茨说着，捡起他的木制假脚，在地板上敲着，"这很重要。我在说的正是你父亲的职业。这是男子汉的职业。"

　　彼得俯视着那些玩具士兵，想到父亲倒在满是泥浆的战场上，身体一侧带着刀伤。他想着父亲在流血，他想着父亲正走向死亡。

接着他想起了关于阿黛尔的那个梦，她在他怀里的重量以及那扇门外金色的阳光。他回想起在花园里父亲抱着他，接住他。

彼得第一次感到，当兵无论如何也不像男子汉的职业。相反，当兵好像很愚蠢——是一种令人恐怖、令人讨厌、噩梦般的愚蠢行为。

"所以，"维尔纳·卢茨清了清嗓子，"正如我所讲的，正如我所说明的，正如我所阐明的，是的，这些人，这些非常勇敢的士兵，在杰出的冯·弗利肯哈蒙格尔将军的直接指挥下，从后面包抄上来。他们从侧翼包围了敌人。就这样，这场战役打胜了。听懂了吗？"

彼得低头看了看被精心排阵的士兵，又抬头看着维尔纳·卢茨的脸，接着又把目光停在那些士兵身上。

"没有……"他终于说。

"没有？"

"没有。这没有什么意义。"

"好吧,那你告诉我,盯着看时,你看不出它的意义,那你看出了什么?"

　　"我看它时,希望它毁灭。"

　　"毁灭?"维尔纳·卢茨问道。

　　"是的。毁灭。没有战争。没有士兵。"

　　维尔纳·卢茨目瞪口呆地盯着彼得,胡子不住抖动。

　　彼得也盯着他看,感到有些话已到嘴边,实在忍不住了,他知道这些话终于要脱口而出了。"她还活着,"他说,"占卜师就是这样告诉我的。她活着,一头象会把我领到她那里。现在已经无缘无故地来了一头象,所以我相信她的话,不相信你的话。我不相信,我不能再相信你的话了。"

　　"你在说什么? 谁活着?"

　　"我妹妹。"彼得说。

　　"你妹妹? 我听错了吗? 刚才我们谈论过家庭方面的事吗? 不! 我们在谈论战役,你和我。我们在谈论将军们的战略才华和步兵们的大胆勇猛。"维尔纳·卢茨用他的木脚敲着地板,"战役、勇敢和战略,这些才是我们谈论的重点。"

083 魔术师的小象

"她在哪儿？她发生了什么事？"

老兵的面部扭曲了。他放下假脚，用食指指着天。"我告诉过你，我已经告诉你很多次了。她和你妈妈在一起，在天堂。"

"我听见她哭了，"彼得说，"我抱过她。"

"呸！"维尔纳·卢茨的手指颤抖着，仍然指着天，"她没有哭过，她没法哭，生下来就死了。她生下来时就已经死了。气息从没到达过她的肺部。她从没吸过一口气！"

"她哭过。我记得。我知道这是真的。"

"可是，那又怎么样呢？如果她真哭过又能怎么样？她哭过并不能说明她曾活着——根本不能，绝无可能。如果每一个哭过的婴儿都能活下来，那么世界会非常拥挤，毫无疑问。"

"她在哪里？"彼得还在问。

维尔纳·卢茨开始小声哭了起来。

"在哪里呢？"彼得重复道。

"我不知道，"老兵说，"接生婆把她抱走了。她说孩子太小，她不能把那么弱小的生命交到像我这样的人手里。"

085 魔术师的小象

"你说她死了,你一次又一次地告诉我她死了!你说谎了!"

"不要管这叫说谎,应该叫科学推断。没有母亲的孩子通常都活不下去,况且她又那么小。"

"你对我撒了谎!"

"不,不,士兵杜齐恩。我说谎是为了你,是为了保护你。即使你早知道这件事,你又能做什么呢?只能使你伤心。我关心你——你是一个将要并且能够成为士兵的人,像你父亲一样,一个让我敬佩的男子汉。我没有养育你的妹妹,因为接生婆不让,她很小,太小了。对于婴儿和他们的需要我知道些什么呢?我只懂当兵,不懂抚养婴儿。"

彼得从地板上站起来,走到窗口,站在那里望着大教堂的尖顶。他看见鸟儿在空中盘旋。

"现在我说完了,先生,"彼得说,"明天我要去看看那头象,然后找到我妹妹,然后和你一刀两断。我也不想当兵了,因为当兵没用,没有意义。"

"别说这么可怕的话,"维尔纳·卢茨说,"想想你的父亲。"

"我是在想我父亲……"彼得说。

他是想父亲了。

他想起父亲在花园里。

他想着父亲在战场上流血而死。

第十章

乞丐的歌

The Magician's
Elephant

天气更糟糕了。

虽然看起来不太可能,但天气确实变得更冷了。

虽然看起来不太可能,但天空确实变得更黑暗了。

但还是没有下雪的迹象。

在"永恒之光修女孤儿院"黑暗寒冷的宿舍里,阿黛尔一直做着关于那头象的梦,以至于一段时间之后,她都能逐字逐句地重复那头象来敲门时对玛丽修女说的话。特别是其中有一句话非常美好,阿黛尔十分喜欢,成天挂在嘴边。那句话是:"我来接那个叫阿黛尔的孩子。"她一遍又一遍地说着,好像那是一首诗,或者一句祝福,或者一句祷告。"我来接那个叫阿黛尔的孩子;我来接那个叫阿黛尔的孩子……"

"你在和谁说话?"一个叫利赛特的稍大一点的

孩子问她。

她和阿黛尔都在孤儿院的厨房里，正伏在一个桶上削土豆皮。

"没有人。"阿黛尔说。

"但你的嘴唇在动。"利赛特说，"我看见了。刚才你在说着什么话呢。"

"我在说那头象说的话。"阿黛尔说。

"哪头象的话？"

"我梦里的那头象。它跟我说话了。"

"哦，是啊，我真傻，你梦里有头会说话的象啊。"利赛特嗤之以鼻。

"那头象敲门要找我，"阿黛尔放低声音说，"我相信它是要把我从这里接走。"

"把你接走？"利赛特眯起眼睛，"那它会把你接到哪里去呢？"

"家里！"阿黛尔说。

"哈！你在说些什么啊！"利赛特说，"家里。"她又用鼻子哼了一声。"你几岁了？"

"六岁，"阿黛尔说，"快七岁了。"

"唉，你都快七岁了，真是傻得出奇，傻得让人吃

091 魔术师的小象

惊啊。"

厨房响起了敲门声。

"听！"利赛特说，"有人敲门！也许是一头象吧。"她站起来走到门口猛地把门推开，门开得很大。"看，阿黛尔，"她转过身，脸上带着坏笑，"看谁来了！是一头象来接你回家呢。"

门口当然没有象，只站着乞丐和他的狗。

"我们没什么可给你的，"利赛特大声说，"我们是孤儿，这是孤儿院。"她跺着脚说。

"我们没什么可给你的，"乞丐唱着，"看，阿黛尔，一头象，这是个好消息。"

阿黛尔看着乞丐的脸，看来他确实非常饥饿。

"看，阿黛尔，一头象，"他唱着，"但你必须知道真相永远都在改变。"

"别唱了！"利赛特"砰"的一声关上门，回来坐到阿黛尔身边，"现在你看见谁来这儿敲门了吧？瞎眼睛的狗，还有乱唱歌的乞丐。你认为他们是来接你回家的吗？"

"他饿了……"阿黛尔的眼泪不由自主地顺着脸颊往下流，泪珠一滴又一滴地滚落下来。

"那又怎么样？"利赛特说，"你知道有谁不饿吗？"

"不知道……"阿黛尔诚实地答道。她自己就经常挨饿。

"对，"利赛特说，"我们都饿。那能怎么样呢？"

阿黛尔想不出用什么话来回答她。

在她脑海里全部都是梦里那头象说的话。话不多，但却和她息息相关，所以她又开始自言自语地念叨起来："我来接那个叫阿黛尔的孩子，我来接那个叫阿黛尔的孩子，我来接那个叫阿黛尔的孩子……"

"嘴别再动了，"利赛特说，"你还不明白吗？没人会接我们走的！"

第十一章

等待

The Magician's
Elephant

在这个月的第一个星期六，巴尔提斯市的人们倾城而出，去看那头象。人们排起长队，从昆泰特伯爵夫人的宅邸一直排到大街上，然后顺着小山一直排下去，一眼望不到头。有胡子上打着蜡、头发上抹着发油的年轻人；有用借来的华丽服饰装扮起来的老妇人，她们长满皱纹的脸洗得干干净净的；有闻上去有股蜂蜡味的蜡烛制作人；有两手粗糙脸上充满希望的洗衣妇；有还在妈妈怀里吃奶的婴儿，以及必须靠拐杖走路的老翁……

制帽商们站在那里高高地昂着头，骄傲地展示着他们的最新作品。由于缺觉而睁不开眼睛的灯夫们挨着马路清洁工站着。而清洁工们身前抱着扫帚，好像这些扫帚是他们的宝剑。牧师们和占卜师们并排站着，彼此都怀着不屑的态度小心地注视着对方。

看起来，每个人都在那里——整个巴尔提斯市的人们都在排队，等待参观那头象。

　　而且每一个人都怀揣着希望、梦想、对仇人的报复和对爱情的渴望。

　　他们站在一起。

　　他们在等待。

　　他们心里暗想，即使不能成真，他们每个人还是希望，只要看看那头象就有可能被拯救，使他们那些愿望、希望和欲望变为现实。

　　彼得站在队伍里，排在他前面的是个男人，他穿一身黑色衣服、头上戴着一顶黑色的帽子，帽檐特别宽。那个人前后摇晃着，重心在脚跟和脚尖之间来回移动，轻声说道："象的尺寸非常惊人。象的尺寸令人吃惊到了极点。现在我就要详细和你们说说象的尺寸。"

　　彼得仔细听着，因为他本来就很想知道象的确切尺寸。看来他就要知道这一条有用的信息了。但是那个人却一直没说出任何数据来。相反，强调完他要详细描述象的尺寸之后，他突然间停住了，一言不发，深深地吸了口气，然后又开始前后摇晃着，重心在脚跟和脚尖之间来回移动，嘴里重复他刚说过的话："象的尺寸非常惊人。象的尺寸令人吃惊到了极点……"

队伍一点一点地向前移动着，幸亏午后晚些时候，戴黑帽子那个人的唠叨声被一个乞丐的歌声盖过，乞丐唱着歌伸着手站在那里，身边有条黑色的狗。

乞丐的声音甜美而温柔，充满希望。彼得闭上眼睛倾听着。歌声像一只温柔的手放在他的心头，抚慰着他的心灵。

"看，阿黛尔，"乞丐唱道，"这是你的象。"

阿黛尔！

彼得转过头直盯着乞丐看，不可思议的是，那个人又唱了一遍她的名字。

阿黛尔！

"让他抱抱她……"他母亲对接生婆说。这话是在婴儿出生的那天晚上，也就是他母亲去世的那天晚上说的。

"我想不该这么做吧。"接生婆说，"他还是个孩子。"

098 魔术师的小象

"不，让他抱抱她。"他的母亲说道。

然后，接生婆把哇哇大哭、手脚乱动、浑身还有些湿漉漉的婴儿递给了他。

"你一定要记住，"他的母亲说，"她是你的妹妹，她的名字叫阿黛尔。她属于你，你属于她。你必须记住这一点。你能做到吗？"

彼得点头答应了。

"你会照顾她吗？"

彼得又点了点头。

"你能向我保证吗，彼得？"

"能。"他说道。说这个字时他感觉既害怕又奇妙，但接着他又说了一遍，以免母亲听不到："能！"

而阿黛尔好像也听懂了他说的话，哭声瞬间停止了。

彼得睁开眼睛。乞丐不见了，从他前面的队伍里又传来那熟悉的令人心烦的话："象的尺寸……"

彼得摘下帽子，又戴上，然后又把它摘了下来，努力控制着不让眼泪流下来。

他已经保证了。

他已经保证了！

后面有人推了他一下。

"你在变帽子戏法,还是在排队呢?"一个沙哑的声音提醒道。

"在排队呢。"彼得说。

"好吧,那么,往前走啊,为什么不动呢?"

彼得戴上帽子,麻利地向前迈了一步,像个训练有素的军人一样,这是他过去一直接受训练的结果。

* * *

在伯爵和伯爵夫人宅邸的跳舞场里,那头象极度沮丧地站着,而人们却一个接着一个地触摸它、拉扯它、倚靠它,还吐痰、大笑、哭泣、祈祷、歌唱。

它不明白的事情太多了。

它的兄弟姐妹在哪里?它的母亲在哪里?

那长满高草的草地和明媚的阳光在哪里?那些炎热的白天、阴凉处黑暗的水塘和凉爽的夜晚在哪里?

世界已经变得让它无法忍受了,太寒冷、太难以理解、太混乱无序了。

　　它停下来，不再想自己的名字。

　　它下定决心宁愿死去。

第十二章

当彼得见到小象

伯爵夫人发现舞场里有头象的确有点添乱，所以为了环境的清洁雅致，她雇佣了一个身材矮小、极不显眼的男人站在那头象的后面，拿着提桶和铁铲随时准备打扫卫生。这个矮小的男人背部已经弯曲变形，因此他几乎不可能抬起脸，用正脸看任何人或者任何事物。

　　所有的事物他都要侧脸观看。

　　他的名字叫巴托克·怀恩，他一辈子都要这样站在那头象的后面。来这里之前，他曾经是个石匠，在本市最大最雄伟的大教堂那高高的顶端雕刻吓人的怪兽石像。巴托克·怀恩雕刻的怪兽确实令人恐惧，每一个都与众不同，每一个都比前一个更恐怖。

　　那头象来到巴尔提斯市的时间是冬天，此前夏末的一天，当巴托克·怀恩正专心地做着他的雕刻工作，把他想象出的最可怕的怪兽雕刻得栩栩如生时，他失足跌落下来。因为他是从高高的大教堂顶端往下掉的，因此用了很长时间他才掉到地面上。他有时间思考。

他想的是：我要死了。

接着他又想到：可是我明白了，我明白了。

明白什么了呢？

然后他想起来了：啊，是的，我知道我明白什么了。生命是滑稽可笑的。这就是我明白的。

在他往下掉落的过程中，他竟然在大声地笑。下面街上的人们听到了他的笑声，都在感叹："谁能想象得出，一个掉下来就要摔死的人还能一直大笑！"

巴托克·怀恩摔到地面上，他的身体摔断了，流着血，失去了知觉，是他的石匠工友们抬着他，穿过街道，把他送回家，交给了他的妻子。他的妻子也拿不定主意是该把他送到丧葬承办人那里治丧，还是送到医生那里救治。

最后，她决定把他送到医生那里救治。

"他的后背断了，活不了了，"医生告诉巴托克·怀恩的妻子，"任何人从那么高的地方掉下来都不可能活下来。他能活到现在已经是个奇迹了，我们理解不了，只能心存感激。这件事确实超出了我们的理解范围。"

即使到了这么严重的程度，已经失去知觉的巴托克·怀恩还是发出了很小的声音，并抓住了医生的衣角，示意他走近些。

"等等，"医生说，"看啊，夫人。现在他要嘱咐些话，重要的话，他一直不死就是为了说出这个重要的信息。你可以把那些话说给我听，先生。说给我听。"医生用夸张的动作把上衣甩到一边，俯身对着巴托克那摔断的身体，把耳朵凑了过去。

"嘻嘻嘻……"巴托克·怀恩小声对着医生的耳朵发出这种连续的声音，"嘻嘻嘻，嘻嘻嘻。"

"他说什么？"他妻子问道。

医生站起身，面色很苍白。"你丈夫什么都没说。"他说。

"什么都没说？"他妻子问道。

巴托克又拽住医生的衣角。医生又一次俯身把耳朵凑近，但这一次明显少了些热情。

"嘻嘻嘻……"巴托克·怀恩对着医生的耳朵笑，"嘻嘻嘻，嘻嘻嘻。"

医生站起身，抚平了衣服。

"他什么都没说？"他妻子的双手交叉在一起。

"夫人，"医生说，"他在笑呢。他已经失去了理智。接下来他的生命也要完了。我告诉你，他不会活下去的，他不可能活下去了。"

但是石匠摔断的背部以奇怪弯曲的形状痊愈了，他活了下来。

那年秋天到来之前，巴托克·怀恩成了一个身高只有五英尺的人，他变得闷闷不乐，最多两个星期才笑一次。秋天之后，他的身高又缩到了四英尺十一英寸，这时他却变得每天、每小时都会因为每一件事而大笑，或者毫无缘由地大笑。

他又回到高高的大教堂的顶端工作了。他手里拿着钻头，站在石头前面。但是由于他长时间笑个不停，所以根本刻不出任何东西。他笑啊笑，笑得手都发颤了，石头却纹丝没动。他没有刻出任何怪兽，因此被解雇了。

所以最后他来到了这里，拿着桶和铲子站在象的后面。这一改变他命运的新职位根本没有以任何方式淡化他欢闹的嗜好。如果非要说有什么区别的话，那就是他笑得更频繁更厉害了。

107 魔术师的小象

巴托克·怀恩总是笑。

所以在那天下午的晚些时候，在巴尔提斯市永久不变的阴暗的冬日下午，当彼得终于走进灯火通明的舞场时，他听见了笑声。

起初，他没看见象。

有许多人围在象的周围，所以彼得看不清它。但是后来，当彼得再靠近一些的时候，它终于露了出来。它比他想象的要大一些，只见它耷拉着脑袋，闭着双眼，彼得顿觉心头一紧。

"往前走——哈，哈，嘻嘻！"拿铲子的小矮人喊道，"哎！你必须继续往前走，好让每个人，每个人，都可以看到象！"

彼得把帽子从头上摘下来，盖在自己的胸口。他一点点靠近，把手放在象粗糙结实的腹部侧面。它在左右摇摆。它那温暖的体温使他很震惊。彼得猛地推开周围的人群，把脸凑到了它的脸前，以便说出他想说的话，问一下他藏在心里的问题。

"请听我说，"他说，"你知道我妹妹在哪里吧。你能告诉我吗？"

接着他感觉心情糟透了，他觉得自己根本什么都不该问。因为它看上去是那么累那么伤心。它睡着了吗？

"往前走，往前走——哈哈，嘻嘻！"小矮人喊道。

"麻烦你……"彼得小声对那头象说，"你能——我需要你——你能——你有可能睁开眼睛吗？你能看看我吗？"

那头象停止了摇摆。它一动不动地站在那里。过了很长时间，它终于睁开了眼睛，直盯着他看。它的眼神使彼得感受到了一种孤独、高贵和绝望。

彼得忘记了阿黛尔、他的母亲、占卜师、老兵、他的父亲、战场、谎言、承诺以及预言。他忘记了所有的事，心里只有他眼前看到的可怕情景以及从那头象的眼睛里读到的东西。

它非常伤心。

它必须回家。

那头象必须回家，不然它一定会死去。

当象睁开眼睛看见眼前的男孩时，它感到全身微微一震。

他正看着它，仿佛认识它一样。

他正看着它，好像理解它一样。

从它穿过歌剧院的屋顶来到这里之后，这是它第一次感受到了世界上还有希望的存在。

"别担心，"彼得小声对它说，"我保证让你回家。"

它注视着他。

"我保证！"彼得说。

"下一个！"拿铲子的小矮人喊道，"你必须，必须得按顺序往前走。哈哈，嘻嘻！还有其他人也等着看——哈哈，嘻嘻！——这头象。"

彼得迈步离开了。

他转过身，一眼都没往后看，便出了伯爵夫人的舞场，穿过大门，进入夜幕之中。

他已经向那头象做了保证，但那是一种什么样的保证呢？

那是一种最空洞的保证，又是一个他无法信守的保证。

他，彼得，怎么能确保让一头象回到家呢？他甚至不清楚象的家在哪里。在非洲吗？在印度吗？那些地方在哪里，而他又怎么才能把它弄到那里去呢？

他要是能给象一双巨型翅膀该多好啊。

太可怕了，我做了什么呀，彼得想。太可怕了。我根本不应该做任何保证。我也不该问占卜师那个问题。我不该做这些，不该。我本该顺其自然，不理会这些事的。而魔术师做的也是一件可怕的事。他本不应该把象带到这里来。我庆幸他被关在监狱里。他们最好永远不放他出来。他太可怕了，竟然做出这样的事。

接着彼得脑海里突然蹦出一个奇异的想法，使得他停下了脚步。他把帽子戴上，摘下，紧接着又戴上。

魔术师。

如果用魔力强大的魔术能变出那头象，那肯定也有一种魔术，一种魔力同样强大的魔术，能把变出来的东西再变回去。

肯定有一种魔术能把那头象送回家。

"魔术师！"彼得大声说，"利奥·马蒂安尼！"

他把帽子戴上，开始在街上狂奔。

第十三章
家庭的温暖

利奥·马蒂安尼打开自家的公寓房门。他光着脚，脖子上系着一块餐巾，胡子上沾着胡萝卜渣和面包屑。炖羊肉的味道飘到了黑暗寒冷的大街上。

　　"彼得·奥古斯塔·杜齐恩来了！"利奥·马蒂安尼说道，"他头上戴着帽子。他来这里了，来到一层，没有上楼，他就像时钟里的小杜鹃。"

　　"很对不起，打扰您吃饭了，"彼得说，"可是我必须见魔术师。"

　　"你必须干什么？"

　　"我需要您带我去监狱见魔术师。您是个警察，他们一定会让您进去的。"

　　"谁呀？"格洛丽亚·马蒂安尼问道。她来到门口，站在丈夫的旁边。

　　"晚上好，马蒂安尼夫人。"彼得说着，摘下帽子向格洛丽亚鞠了个躬。

　　"晚上好，孩子。"格洛丽亚说。

"您好！"彼得边说边把帽子戴在头上，"很抱歉，打扰你们吃晚饭了，但是我需要马上去一趟监狱。"

"他需要去监狱？"格洛丽亚·马蒂安尼惊讶地对丈夫说，"他是这么说的吗？可怜啊！一个小男孩儿怎么能提出这样的请求呢？请看看他吧，他瘦得一眼都能看透。他瘦得……应该用什么词来形容呢？"

"皮包骨？"利奥说。

"对，"格洛丽亚说，"就是这个词，皮包骨。那个老头儿不让你吃饭吗？在那个顶楼里，除了没有关爱，连吃的也没有吗？"

"有面包，"彼得说，"也有鱼，但是鱼很小，非常小。"

"你必须进来，"格洛丽亚说，"你必须马上做的是这件事。你必须进屋里来。"

"可是……"彼得说。

"进来吧，"利奥说，"我们得谈一谈。"

"进来，"格洛丽亚·马蒂安尼说，"我们先吃饭，然后再谈。"

* * *

　　在利奥和格洛丽亚·马蒂安尼的公寓里,炉火烧得非常旺,厨房餐桌就摆放在炉子旁边。

　　"坐吧。"利奥说。

　　彼得坐下了。他的腿不住地发抖,心脏跳得很快,好像还在奔跑一样。"我想没有多少时间了,"他说,"不吃饭了,我想时间不够了,真的。"

　　格洛丽亚把一碗炖肉放到彼得手里。"吃吧。"她说。

　　彼得盛了一勺,吃到嘴里,嚼一嚼咽了下去。

　　很久以来,他除了吃小鱼和硬面包之外,什么都没吃过。

　　所以当他嚼第一口炖肉时,他都不知所措了。炖肉的温热、香浓,把他弄蒙了,好像一只温柔的手在他毫无准备的情况下抚摸了他一下一样。

　　"这是怎么回事?"格洛丽亚·马蒂安尼说,"这孩子哭了。"

　　"嘘……"利奥把手放到彼得的肩膀上,"嘘……别担心,彼得。一切都会好起来的,一切都会顺利的。我们将一起做一切需要做的事，不管那是什么。但现在你必须吃饭。"

彼得点点头。他拿起了勺子，一边吃一边感慨不已。他控制不住自己的感情，泪水夺眶而出，顺着脸颊流进碗里。"炖肉很好吃，马蒂安尼夫人，"他努力说出了这句话，"真的，这肉好吃极了。"

他的手颤抖着，勺子碰到碗时发出叮叮的响声。

"喂，当心，"格洛丽亚·马蒂安尼说，"别流出来了。"

过去了，彼得想。都过去了，没有办法挽回了！

"快吃吧。"格洛丽亚·马蒂安尼温柔地说。

看来彼得完全能够面对他失去的真相了。

他又接着吃起来。

彼得吃完了，利奥·马蒂安尼从他手里接过碗，放到桌子上，说："现在把一切都告诉我吧。"

"一切？"彼得问。

"是的，每件事。"利奥·马蒂安尼说。他向后倾，靠在椅子上。"从头开始。"

彼得从花园开始说起。他说起父亲把他高高地抛向空中然后接住，说起母亲穿着白色衣服，笑着，

肚子圆圆的像个气球。"天空是紫色的，"彼得说，"灯亮着。"

"是的，"利奥·马蒂安尼说，"我能清楚地想象出来。但现在你父亲在哪里呢？"

"他曾是个士兵，"彼得说，"他死在了战场上。维尔纳·卢茨和他一起当兵，和他并肩战斗。他是我父亲的朋友。他来到我们家传达我父亲死去的消息。"

"维尔纳·卢茨……"格洛丽亚·马蒂安尼说道，好像在诅咒。

"当我母亲听到这个消息的时候，小婴儿就开始出生了，就是我的妹妹——阿黛尔。"彼得停下了，深深地吸了一口气，"我妹妹出生了，而我母亲却死了。她临死前，我答应她会永远照顾这个婴儿。但是后来我没有做到，因为接生婆把婴儿抱走了，而维尔纳·卢茨把我带在他身边，要教我如何成为一个好士兵。"

格洛丽亚·马蒂安尼站起来。"维尔纳·卢茨！"她边喊边向天花板挥动着拳头，"我要和他谈谈。"

"请坐下吧。"利奥·马蒂安尼说。

格洛丽亚坐了下来。

"那你妹妹怎么样了？"利奥问彼得。

"维尔纳·卢茨告诉我她死了。他说她生下来就死了，是个死婴。"

听到这儿，格洛丽亚·马蒂安尼猛吸了一口气。

"他是那样说的。但是他说谎了，他承认自己说谎了。她没有死。"

"维尔纳·卢茨！"格洛丽亚·马蒂安尼再一次跳起来，向天花板挥着拳头。

"起初占卜师告诉我她活着，接着我做梦也梦到同样的情况。占卜师还告诉我那头象——有一头象——将把我领到她那里去。就在今天下午，我看见那头象了，利奥·马蒂安尼，我知道如果它回不了家的话它会死的。它必须回家去。魔术师必须把它送回家。"

利奥交叉着双臂，把椅子向后倾斜着，重心压在椅子的两条后腿上。

"别那样坐着，"格洛丽亚说，"那样坐椅子爱坏。"

利奥·马蒂安尼慢慢往前直到四条椅子腿又落回地板上。他笑了。"如果……"他说。

"哦,又来了,"他的妻子说,"求你了,别说了。"

"为什么不……"

从他们头顶上很高的地方,传来一声闷响,是维尔纳·卢茨用他的木脚敲地板的声音。

"有可能……"利奥说。

"是的。"彼得说。他并没向上看天花板,而是仍然盯着利奥·马蒂安尼。"如果……"他对警察说。

"为什么不……"利奥笑了。

"够了!"格洛丽亚说。

"不,"利奥·马蒂安尼说,"不够,永远都不够。我们必须问自己这些问题,只要我们有胆量就应该问。如果我们不提问题,世界怎么改变呢?"

"世界不能改变。"格洛丽亚说,"世界就是它现在这个样子,而且永远都是。"

"不,"利奥·马蒂安尼轻声说,"我不相信是这样。因为彼得就站在这里,就在我们面前,请求我们改变它呢。"

咚,咚,咚,上面响起了维尔纳·卢茨的脚步声。

格洛丽亚向上看了看天花板,又看看彼得。

她先摇摇头,又点点头。接着,慢慢的,她又点了点头。

"是的，"利奥·马蒂安尼说，"是的，我也是这么想的。"他站起来，摘掉脖子上的餐巾，"我们该去监狱了。"

他用胳膊搂住妻子把她拉到跟前。她把脸颊在他的脸颊上贴了一会儿，然后离开利奥转向彼得。

"你……"她说。

"是！"彼得说着，笔直地站在她面前，像一个正在等待检阅的士兵。当她抓住他，把他拉到身前，让他闻到了炖羊肉、淀粉和莴苣的味道的时候，他一点准备都没有。

哦，被拥抱的感觉真好！

他已经完全忘记那是什么感觉了。他用双臂搂住格洛丽亚·马蒂安尼，又开始哭了起来。

"好啦。"她前后摇晃着他，"好啦，你这个想改变世界的漂亮的傻孩子。好啦，好啦。谁能忍得住不爱你呢？谁能忍得住不爱这么勇敢真诚的孩子呢？"

第十四章

魔术师的痛苦

The Magician's
Elephant

在伯爵宅邸那又黑又空的舞场上，那头象睡着了。它梦见自己正穿过宽阔的热带大草原。头顶上是湛蓝的天空，太阳照得后背暖洋洋的。在梦里，离它很远的前方出现了那个男孩，他正站在前面等着它。

当它终于走近时，他看着它，就像那天下午一样。但他却什么都没有说，只是和它并肩而行。

他们一同穿行在长满高高青草的原野。在这个梦里，它感觉和这个男孩并肩而行很奇妙。它认为一切就该如此，它很高兴。

太阳暖洋洋的！

在监狱里，魔术师躺在他的斗篷上，凝视着窗子，盼望着乌云快点散开，盼望着那颗明星快点出现。

他睡不着。

他一闭上眼睛，就能看见那头象穿过歌剧院屋顶坠落到拉沃恩夫人的身上。那种景象使他痛苦到极点，无法缓解，无法安歇。他满脑子想的都是那头象和自己变出象的那个奇异、惊人的魔术。

与此同时，他感到无法忍受的孤独，他用整个心灵呼唤能见到一张脸，任何人的脸，哪怕是充满指责和恳求的拉沃恩夫人的脸。如果此时她出现在他身边，他会把透过窗子时看到的那颗星星指给她看，对她说："说实话，你见过这样令人疼爱的东西吗？在如此幽暗的夜空有星星闪烁，对于这样的世界我们还要解释什么呢？"

所有这一切是要说明，那晚当监狱门"咣当"一声打开，监狱长廊里响起"咚咚"的脚步声的时候，魔术师还醒着。他站了起来。

他穿上斗篷。

他通过牢房的围栏向外看，看见灯笼的光亮在黑暗的走廊里闪烁。他心跳加速，向越来越近的亮光大声喊叫。

魔术师说的什么？

你应该知道他说了些什么……

"我本来只打算变出百合花！"魔术师喊道,"求你了,我本来只想变出一束百合花！"

利奥·马蒂安尼高高地举着灯笼,灯光照亮了魔术师,彼得看得清清楚楚:他的胡子又长又乱,手指甲残破粗糙,斗篷上长满霉斑,眼睛闪闪发亮,但目光却如困兽一般——绝望、恳求、随时都会发狂。

彼得的心沉了下去。眼前这个人好像根本变不出什么魔术,更不用说大型魔术——那种能把一头象送回家的大型魔术。

"你们是谁?"魔术师问,"是谁派来的?"

"我叫利奥·马蒂安尼,"利奥说,"这位是彼得·奥古斯塔斯·杜齐恩,我们来是要和你谈谈那头象的事。"

"当然了,当然了,"魔术师说,"除了象你们还会和我谈什么呢?"

"我们想让你再变个魔术,把它送回家。"彼得说。

魔术师大笑起来,笑声有些恐怖。"把它送回家?我为什么要那么做?"

"因为,如果你不那么做它就会死。"彼得说。

"它为什么会死？"

"它想家，"彼得说，"我看它心都碎了。"

"一个让人想家到心碎的魔法！"魔术师又开始摇着头大笑起来，"这事发生得那么漂亮，那么奇妙，你都不会相信；说真的，你不会相信。可事实就是这样发生了。"

彼得突然听到了一阵痛苦的哭泣声。他以前也听到过这种哭泣声，那是维尔纳·卢茨以为彼得睡着时，独自在黑暗中哭泣的声音……

世界破碎了，彼得想，修不好了。

魔术师用头顶着栏杆，一动不动。角落里的那个囚犯的哭声时起时落，时有时无。接着彼得看见魔术师也哭了，他的眼泪顺着脸颊流了下来，流进了他的胡子里。

也许一点都不晚。

"我相信……"彼得很平静地说。

"你相信什么？"魔术师一动不动。

"我相信事态还能扭转过来。我相信你有能力施展那个魔术。"

魔术师摇了摇头。"不。"他平静地说，好像在自言自语,"不。"

接下来是长时间的沉默。

利奥·马蒂安尼一次又一次地清着嗓子。他开口说出两个简单的字:"如果……"

魔术师抬起头看着警察。"如果?"他问,"'如果'倒是个属于魔术范畴的词汇。"

"是的,"利奥说,"属于魔术,也属于我们生存的世界。所以,如果……如果就试一次呢?"

"我已经尝试过了。"魔术师说,"我尝试过把它送回去,但是失败了。"眼泪顺着他的脸颊继续往下流。"你必须要明白的一点是,我不想把它送回去;它是我表演过的最好的魔术成果。"

"把它送回属于它的地方也将是一个伟大的魔术。"利奥·马蒂安尼说。

"真的吗?"魔术师看看利奥·马蒂安尼,然后看看彼得,接着又看着马蒂安尼。

"求你了!"彼得说。

利奥伸着胳膊举着灯笼,闪烁的灯光照着魔术师,把他的影子投射到他身后的墙上,影子突然向后一跳,变得越来越大。影子和他分成两部分,好像

128 魔术师的小象

那完全是另外一个人，正注视他，和彼得一起焦急地等待着他决定整个世界的命运的那一刻。

"好，"魔术师终于开口，"那我试一试。但我有两个条件。第一，我需要那头象，因为如果它不在场我就无法使它消失。此外，我还需要拉沃恩夫人在场。你们必须把那头象和那位贵妇人都带过来。"

"可那是不可能的。"彼得说。

"魔术的神秘往往就在于它的不可能性，"魔术师说，"它以不可能的想象开始，以不可能出现的结果结束，中间伴随着的是不可能的过程。所以它才是魔术。"

第十五章
拜见拉沃恩夫人

拉沃恩夫人由于两腿刺痛经常睡不着觉。因为经常睡不着觉，所以她要求全家人都要陪她一起熬夜。

而且，她还要求他们一遍一遍地听她的故事：那晚她如何穿戴整齐地去歌剧院，如何走进那栋建筑（走！用她自己的双腿！），而全然不觉里面等待着她的厄运。她还这样要求园丁和厨师、女仆和清理房间的女服务员：当她说起魔术师如何从众多人中选中她时，他们都要表现出感兴趣的样子。

"'那么，谁将站在我面前接受我的魔术呢？'这是魔术师的原话。"拉沃恩夫人说。

被召集起来的仆人们听着（或者假装听着）贵妇人说起那头象不知从哪里掉下来，说起前一分钟象还是难以想象的概念，如何紧接着却成了她腿上不可争辩的事实。

"我残废了，"拉沃恩夫人最后说，"被穿过屋顶掉下来的一头象砸残废了！"

仆人们很清楚，也很熟悉最后几句话，以至于他们的嘴和她一块儿动起来，和她一起小声说出那些话，好像他们在参加某种奇怪而神秘的宗教仪式一样。

这就是那天晚上敲门声响起时拉沃恩夫人家里的情形。一位男仆快步走到汉斯·艾克曼身边，他说有一个警察和一个男孩儿在外面等着，坚决要求和拉沃恩夫人谈谈。

"都这么晚了！"汉斯·艾克曼说。

但他还是随着管家走到门口。那里确实站着一个警察——一个长着可笑的大胡子的矮个儿男人。警察迈步向前鞠了个躬，说道："晚上好。我是利奥·马蒂安尼，在警察局工作。但我来这儿不是为了公事，而是要向拉沃恩夫人提出一个特别的个人请求，希望她能见我。"

"拉沃恩夫人不能受打扰，"汉斯·艾克曼说，"时间太晚了，而且她很痛苦。"

"求你了……"一个很小的声音说道。汉斯·艾克曼看见，一个小男孩儿站在警察身后，手里拿着一顶军帽。"这很重要。"男孩儿说道。

汉斯盯着男孩儿的眼睛，仿佛看见了自己的童年，看到了那些相信奇迹，和兄弟们站在河岸，和悬在半空中的白狗待在一起的日子。

"求你了！"男孩儿说。

突然，汉斯·艾克曼想起了那条小白狗的名字：罗斯。它叫罗斯。而想起了那条狗的名字，就像玩拼图游戏时把一个图块拼在合适的位置一样，让他感到心里非常踏实。不可能的事，他想，不可能的事就要再次发生了。

他向警察和男孩儿身后的黑暗望去。他看见什么东西在空中飘舞。一片雪花。然后又是一片。接着又有一片。"进来吧。"汉斯·艾克曼一下子推开门，"现在你们必须进屋里来，开始下雪了。"

确实开始下雪了。整个巴尔提斯市的上空雪花纷飞。

雪花落在黑暗的小巷里，落在歌剧院新修的屋顶上，落在监狱塔楼楼顶，落在波洛涅兹公寓的屋顶上。在昆泰特伯爵的宅邸，雪花落在大门的把手上，勾勒出优美的曲线。在大教堂外面，雪花落在那

134 魔术师的小象

些怪兽的头上，像是给它们戴上了奇怪而滑稽的帽子。那些怪兽蹲伏在一起，以既厌恶又嫉妒的神态向下注视着巴尔提斯市。

宽阔的巴尔提斯市大道上有一排街灯，雪花围绕在街灯发出的光圈周围飞舞着。大片大片的雪花在"永恒之光修女孤儿院"那荒凉而难看的楼房周围簌簌地飘落，好像要努力把那个地方遮蔽起来不让外人看见。

雪终于下起来了。

下雪的时候，巴托克·怀恩做梦了。

他做了一个关于雕刻的梦。他梦到自己在做他了解并热爱的事业——巧妙地在石头上刻出动物的形状来。只是，在梦里，他雕刻的不是怪兽，而是人。一个是戴着帽子的男孩；另一个是留着胡子的男人；还有一个女人，她身后站着一个男人。

而每当他手下出现一个新人物，巴托克·怀恩都感到震撼并深深地为之感动。

"你，"他边干边说，"你，你，还有你。"

他笑了，而且他在石头上刻的人像也都对他报以微笑……

在下雪的时候,坐在"永恒之光修女孤儿院"门口的玛丽修女也做梦了。

她梦到自己正在世界的上空飞翔,她的衣服舒展开来,飘飞在空中,像黑色的翅膀一样。她非常高兴,因为在她内心深处,一直暗暗相信自己能够飞翔。而现在她正做着很久以来自己一直向往的事,她无法否认那巨大的满足感。

玛丽修女张望身下的世界,她看到了成千上万颗星星。她心想:我根本不是在地球上空飞翔啊!哎呀,我飞得比那还要高。我在群星之上飞翔。我在俯视天空。

接着她意识到,不,不,她是在地球的上空飞翔,她看到的不是星星而是地球上的生命,他们——乞丐、狗、孤儿、国王、象、士兵——都在,每一个都在散发着光芒。

世间万物都在发光。

玛丽修女的心脏在她的胸膛中变得越来越大,这让她越飞越高——但是无论她飞得有多高,总能看见下面闪闪发光的地球。

"哦,"熟睡中的玛丽修女在门口的椅子里大声地说,"多美妙啊!以前我不知道吗?知道。知道。我一直都知道。"

137 魔术师的小象

第十六章

接出那头象

The Magician's
Elephant

汉斯·艾克曼推着拉沃恩夫人的轮椅，利奥·马蒂安尼拉着彼得的手，他们四人匆匆走过大雪覆盖的街道，直奔伯爵夫人的宅邸。

"我不明白，"拉沃恩夫人说道，"我感觉这太不合常理了。"

"我相信时机已经到了。"汉斯·艾克曼说。

"时机？什么时机？"拉沃恩夫人问道，"别和我打哑谜。"

"你再去一趟监狱的时机。"

"可现在是半夜，而且监狱在那边。"拉沃恩夫人边说边用戴满珠宝的手向身后指。

"我们得先做另一件事。"利奥·马蒂安尼说。

"什么事？"拉沃恩夫人问。

"我们必须先从伯爵夫人家把那头象接出来，"彼得说，"再把它带到魔术师那里。"

"接出那头象？"拉沃恩夫人问，"接出那头象？

把它带到魔术师那里？他疯了吗？这个男孩疯了吗？
警察也疯了吗？每个人都疯了吗？"

"是的，"过了很长时间，汉斯·艾克曼才说，"我
相信是这样，每个人都有点发疯了。"

"哦，"拉沃恩夫人说，"好的，我明白了。"

接下来大家都沉默不语了，只有轮椅碾过雪地
和脚踏在鹅卵石上发出的沉闷的响声。

拉沃恩夫人终于打破了沉默。"太不合常理了，"
她说，"但却很有趣，确实非常有趣。嗯，看起来好像
什么事都可能发生，任何事都有可能发生。"

"正是这样。"汉斯·艾克曼说道。

在监狱的小牢房里，魔术师来回踱着步。"如果
他们成功了怎么办？"他喃喃地说，"如果他们真把
那头象带来了怎么办？那么没办法，我只能念咒语。
我必须设法再念一次咒语。我必须努力把它送回家
去。"

魔术师停下脚步，抬头望向窗外，他惊异地看
到，雪花一片接一片地从空中飞舞而下。

"哦，看呢，"他自言自语道，"下雪了——多美

啊。"

魔术师一动不动地站着，凝视着正在飘落的雪花。

突然之间，他想通了，他丝毫不再介意放手自己做过的最了不起的事。

他太孤独了，这种毫无希望的孤独感持续的时间太长了。他很有可能余生都要待在监狱里，孤独一人。他明白，他现在想要的是比他变的魔术要简单得多、又复杂得多的东西——他想要的是跟人在一起，抓住他们的手，和他们一起抬头赞叹从空中飘落的雪花。

"看这片，"他想对他热爱并且热爱他的人说，"看这片。"

彼得和利奥·马蒂安尼、汉斯·艾克曼和拉沃恩夫人站在昆泰特伯爵夫人的宅邸外面。他们一齐盯着那扇厚重结实的大门。

"哦。"彼得发出了这样的声音。

"我们敲敲门吧，"利奥·马蒂安尼说，"我们要从这里开始，从敲门开始。"

"是的，"汉斯·艾克曼表示同意，"我们敲吧。"

他们三人走上前去，开始用力地敲门。

时间仿佛停止了。

彼得有种很可怕的感觉，他感到自己生命的全部意义就是站在这里敲门，请求进入某个自己甚至都不确定是否存在的地方。

他的手指冰凉，指关节疼痛。这时，雪下得更大更急了。

"也许这是个梦，"坐在轮椅里的拉沃恩夫人说，"也许整个事件都只是个梦吧。"

彼得想起了麦田里的那扇门。他想起了自己抱着阿黛尔。接着他又想起了那头象眼睛里露出的可怕而悲伤的神情。

"求求你！"他大声喊，"求求你，你必须让我们进去。"

"求求你！"利奥·马蒂安尼大声喊。

"是啊，"汉斯·艾克曼喊道，"求求你！"

门里边传来了刺耳的拔门闩声。门闩被一个接一个地拔掉了。门好像不情愿似的慢慢地打开了，闪出一个身材矮小、弯腰驼背的男人。他迈步出来，抬头看着飘落的雪花,大笑起来。

"对了,"他说,"是你们敲门吗?"

然后他又大声笑了起来。

* * *

当彼得告诉他此行的目的时,巴托克·怀恩笑得更厉害了。

"你们——哈哈,嘻嘻——把象从这儿带到——哈哈,嘻嘻,啊——监狱的魔术师那里,这样魔术师就可以变魔术把象送——啊——回家?"

他笑得太厉害了, 以至于失去重心坐在了雪地上。

"什么事这么可笑?"拉沃恩夫人问,"你必须告诉我们,好让我们陪你一起笑。"

"你们可以和我一起笑,"巴托克·怀恩说,"只要你们——哈哈,嘻嘻——认为我死了会很可笑的话。想象一下吧:如果伯爵夫人明天醒来发现她的象消失了,而我,巴托克·怀恩,就是那个——哈哈,嘻嘻——允许陌生人偷走它的人!"

144 魔术师的小象

这个小个子男人笑得太厉害，竟然都笑得失了声。他张着大嘴，却发不出任何声音。

"但如果她根本找不到你呢？"利奥·马蒂安尼说，"如果第二天你也不见了，会怎么样？"

"什么意思？"巴托克·怀恩问，"你说——哈哈，嘻嘻——什么？"

"我说，"利奥·马蒂安尼说，"如果你像那头象一样，最终也不见了，去了你该去的地方会怎么样？"

巴托克·怀恩抬头凝视着利奥·马蒂安尼、汉斯·艾克曼、彼得和拉沃恩夫人。他们都一动不动地等待着他的回答。他也一动不动地看着他们紧紧地靠在一起站在雪地里。

在沉默中，他终于认出了他们是谁。

他们就是他梦中的人物啊！

* * *

那天晚上，在昆泰特伯爵夫人宅邸的舞场里，当那头象睁开眼睛，看见男孩站在它面前时，它一点

都不惊讶。

　　它只是想：是你。真的是你！我就知道你会来救我的！

第十七章

团 聚

大片大片飘落的雪花把狗从睡梦中唤醒了。它抬起头，闻了闻。

没错，是雪的气味。但是还有另一种味道，一种巨型野兽的味道。

艾杜站了起来。它直直地站着，尾巴颤抖着，"汪汪"地叫起来。

"嘘……"托马斯制止道。

但是艾杜还是不停地叫着。

令人难以置信的事情就要发生了。艾杜十分清楚。在这一奇妙的事情即将发生之前，它愿意做它的宣传员，所以它"汪汪汪，汪汪汪……"地叫个不停。

它使出浑身解数来传递这一信息。

所以，艾杜狂叫着。

在"永恒之光修女孤儿院"的楼上，阿黛尔听见了狗叫声。她从床上爬起来，走到窗口向外看，只见雪花在街灯的光亮里飞舞着、旋转着。

"雪，"她说，"就像在梦里一样。"她把胳膊肘支在窗台上，望着那白色的世界。

接着，透过纷纷扬扬的大雪，阿黛尔看见了那头象。它正沿着大街走，后面跟着一个男孩儿。男孩儿身后是一个警察，一个男人推着一辆轮椅，轮椅里坐着一位女士，紧跟着是一个歪着身子走路的小矮人，和这些人在一起走的还有乞丐和他那只黑狗。

"哦……"阿黛尔叹道。

她不愿怀疑自己的眼睛，也不想知道自己是否在做梦。她转过身，光着脚顺着漆黑的楼梯跑下去，跑进大厅，再穿过大厅跑进走廊，从熟睡的玛丽修女身边经过，一下子打开了孤儿院的门。

"这里！"她喊道，"我在这里！"

那只黑狗从雪地里向她跑过来，围着她欢跳着，"汪汪汪，汪汪汪……"地叫着。

它好像在说："你终于来了，我们一直在等你。你终于来了！"

"是的，"阿黛尔对狗说道，"我来了。"

* * *

门开着,冷风吹了进来,吹醒了玛丽修女。

"门没锁!"她喊道,"门从来都不锁,永远都不锁,你只要敲门就行了!"

当她完全清醒过来时,她看见门大开着,门外一片漆黑,映衬着大片大片白色的雪花纷纷飘落下来。她从椅子里站起身要去关门的时候,却看见街上有一头象。

"上帝啊!"玛丽修女惊讶地喊道。

接着她看到阿黛尔站在雪地里,身上只穿着睡衣,没穿鞋子。

"阿黛尔!"玛丽修女脱口喊道,"阿黛尔!"

但是回头看她的不是阿黛尔,而是一个手拿帽子的男孩儿。

"阿黛尔?"他大声喊道。

他迫不及待地喊出这个名字,好像这个名字既是一个问题也是一个答案,他激动得脸上直放光。

眼前的这个男孩儿就好像是玛丽修女梦里那颗

151 魔术师的小象

闪闪发亮的星星一样。

　　他抱起了阿黛尔，因为天正下着雪，很冷，而她却光着脚，也因为他很久以前就答应过母亲将永远照顾她。

　　"阿黛尔，"他不停叫着这个名字，"阿黛尔。"

　　"你是谁？"她问。

　　"我是你哥哥。"

　　"我哥哥？"

　　"是的。"

　　她对他笑笑，甜美的笑容透着一丝怀疑，很快那种怀疑就转变为信任，继而是快乐。"哥哥，"她说，"你叫什么名字？"

　　"彼得。"

　　"彼得，"她重复道，"彼得，彼得。你把这头象带过来了。"

　　"是的，"彼得说，"我把它带来的。也可以说，是它把我带来的。不管怎么说都一样，就像占卜师说的那样。"他笑了，转过身。"利奥·马蒂安尼，"他大声叫着，"这是我妹妹！"

152 魔术师的小象

"我知道，"利奥·马蒂安尼说，"我看得出来。"

"那人是谁？"拉沃恩夫人问，"她是谁呀？"

"是那男孩儿的妹妹。"汉斯·艾克曼说。

"我不明白。"拉沃恩夫人说。

"这是不可能发生的事，"汉斯·艾克曼说，"不可能发生的事又发生了。"

玛丽修女走出"永恒之光修女孤儿院"敞开的大门，走到大雪覆盖的街道上，站在利奥·马蒂安尼旁边。

"毕竟，能梦到一头象是件很美好的事情，"她对利奥说道，"然后再让梦境变成现实。"

"是的，"利奥·马蒂安尼同意她的说法，"是的，一定会的。"巴托克·怀恩站在修女和警察旁边，张嘴想大笑，却笑不出来。"我必须……"他说，"我必须……"但是他最终也没有把那句话说完。

与此同时，那头象站在纷飞的雪里等待着。

阿黛尔想起了它，对她哥哥说："那头象一定很冷。它要去哪里？你们要把它带到哪里呀？"

"它的家，"彼得说，"我们要送它回家。"

第十八章
再见了，小象

彼得抱着阿黛尔走在象的前面，紧跟在他后面的是利奥·马蒂安尼。象后面是拉沃恩夫人，她坐在轮椅里，由汉斯·艾克曼推着。汉斯·艾克曼身后是巴托克·怀恩，他后面是乞丐托马斯，而紧跟在托马斯身后的是黑狗艾杜。走在最后的是玛丽修女，这是她五十年来第一次没有待在"永恒之光修女孤儿院"的门口。

彼得带领着他们走，当他穿过落满白雪的街道的时候，每一个街灯柱，每一家门口，每一棵树，每一扇大门，每一块砖块都跳出来和他说话。世间万物都很奇特，它们都小声对他说着同一件事，说着和占卜师相同的话，说着他心中那个终于变成现实的希望：她活着，她活着，她活着。

她确实活着！他的脸能够感受到妹妹阿黛尔温暖的气息。

她一点都不沉。

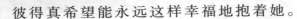

彼得真希望能永远这样幸福地抱着她。

大教堂午夜的钟声响了起来。刚过最后一响，魔术师就听到了监狱巨大的外门打开和关上的声音，回响在走廊里的脚步声，以及夹杂其间的刺耳的金属钥匙的响声。

"谁来了？"魔术师大声喊道，"报上姓名！"

没人回答他，只有脚步声和灯笼的亮光。接着警察进入了他的视线，他站在魔术师的牢房前面，举着钥匙说："他们在外面等你呢。"

"谁？"魔术师问，"谁等我？"他的心怦怦直跳，不敢相信这是真的。

"大家。"利奥·马蒂安尼说。

"你们成功了？你们把那头象带来了？拉沃恩夫人也来了？"

"是的。"利奥·马蒂安尼说。

"谢天谢地，"魔术师说，"谢天谢地啊。现在这事必须得解决了。我这就尽最大努力来解决这件事。"

"是的，现在全靠你了。"利奥说着，将钥匙插入锁眼儿,转动着,接着推开了关押魔术师的牢门。

"来吧,"利奥·马蒂安尼说,"我们所有人都在等你呢。"

有很多魔术能变出东西,同样,能让东西消失的魔术也有很多,毕竟让东西消失总是比让它们出现容易一些。

魔术师完全清楚这一点,所以当他走出监狱,来到寒冷的雪夜里,几个月以来第一次获得自由的时候,他并没有感到兴奋。相反,他很害怕,他担心,如果尽了力却还是失败了怎么办?

接着他看见了那头象,感觉到它高大庄严的美。他看见它并非虚构,而是真实地站在雪地里。

它是如此罕见、如此美丽、如此神奇。

但无论怎样,还是要把它变回去。他不得不尽最大努力去这样做。

"看那里,"拉沃恩夫人对阿黛尔说,阿黛尔正坐在拉沃恩夫人的腿上,紧紧地裹在夫人那温暖的软毛斗篷里,"他来了,那个人就是魔术师!"

"他不像个坏人。"阿黛尔说,"他看起来很伤心。"

"是的,可是,我残废了啊。"拉沃恩夫人说,"说真的,残废比伤心还痛苦吧!"

"夫人!"魔术师离开大象,对着拉沃恩夫人鞠了个躬。

"什么事?"她问道。

"我本来打算变百合花……"魔术师说。

"也许你不懂……"拉沃恩夫人说。

"够了,"汉斯·艾克曼痛苦地摇了摇头,"够了,求求你们了!请你们敞开心扉,把所有想说的话都说完好吗?"

"我本来打算变百合花,"魔术师继续说,"但是,我强烈地希望做点非同寻常的事,于是就变了一个大魔术,并在无意之中给您带来了巨大的伤害。现在,我要努力挽回这个错误。"

"那我还能走路吗?"拉沃恩夫人问道。

"我想不能了……"魔术师说,"但是我请求您能原谅我。我希望您能原谅我。"

她看着他。

"真的,我没打算伤害您。"他说,"我从来没那么想过。"

拉沃恩夫人吸了吸鼻子，转过脸去。

"好了，"彼得说，"那头象很冷，需要回到温暖的家里。你能现在就变魔术吗？"

"没问题。"魔术师说着，又向拉沃恩夫人鞠了个躬，然后转向那头象。"你们所有人都让开。往后站，往后站。"

彼得把手放到象身上，停了一会儿。"很抱歉给你带来这么多麻烦，"他对象说，"我也感谢你的帮忙。谢谢你，再见。"然后他也离开它，站到了一边。

魔术师挪动脚步，围着象转了起来，嘴里喃喃自语。他在想从监狱牢房看到的那颗星星。他在想终于下雪了，下雪时他多么想和某个人一起欣赏那美丽的雪花。他在想拉沃恩夫人抬脸看着他的脸，眼里充满质疑和渴望。

接着他开始念咒语。他从后往前倒着念那咒语，他一口气把这些话全部说完，深切地希望它能真正起作用。他清楚，任何一个魔术师能做到的也只有这些了。

他念完了那段咒语。

雪停了。

天空突然奇迹般地晴朗起来。眨眼间，数千颗星星开始闪烁起来。金星也在其中，庄严地闪闪发光，耀眼得如同硕大的钻石。

玛丽修女最先注意到了天空那不寻常的变化。"看那里，"她喊道，"往上看！"她指着天空说。他们都抬头看——巴托克·怀恩、托马斯、汉斯·艾克曼、拉沃恩夫人、利奥·马蒂安尼、阿黛尔。

连艾杜也抬起了头。

只有彼得的眼睛一直看着那头象和围着象一直转圈的魔术师。魔术师还在小声地从后往前倒着念那些送象回家的咒语。

因此，彼得是唯一看见象离开的人，也是魔术师最后一次表演这个最伟大的魔术的唯一见证人。

站在那里的那头象一下子就不见了。

就是那么简单。

象一离开，云层又聚集起来，那些星星全都不见了，天又开始下起雪来。

真令人难以置信，闹得整个巴尔提斯市沸沸扬

161 魔术师的小象

扬的那头象竟然如此悄无声息地离开了。当它终于消失的时候,没有吵闹、没有喧哗,只有簌簌的下雪声。

艾杜把鼻子抬得很高,闻了闻。它发出了一声低低的质疑的叫声。

"是的,"托马斯对它说,"它走了。"

"哈,好啦。"利奥·马蒂安尼说。

彼得俯身察看雪地上那四个圆圆的蹄印。"它真走了。"他说,"我希望它已经回到家了。"

当他抬起头,看见阿黛尔正看着他,她的眼睛圆圆的,露出惊讶的神情。

他对她笑笑。"它回家了。"他说。

她也对他笑了,还是那种笑容:怀疑,然后是信任,最后是高兴。

魔术师用颤抖的双手抱着头蹲了下来。"我做完这件事了,所有的事都了结了。对发生的一切我感到很抱歉。真的,我对不起大家。"

利奥·马蒂安尼抓住魔术师的胳膊,把他拉到跟前。

"你还要把他送回监狱吗?"阿黛尔问道。

"我必须这样做。"利奥·马蒂安尼说。

接着，拉沃恩夫人说话了："不要，不要。毕竟，那没什么意义，对吗？"

"什么？"汉斯·艾克曼问，"你说什么？"

"我说把他送回监狱没什么意义。发生的已经发生了。我原谅他，不控诉他了。我会在所有释放声明中签字的。让他走吧，让他走吧。"

利奥·马蒂安尼放开了魔术师的胳膊，魔术师转向拉沃恩夫人向她鞠躬。"夫人。"他说。

"先生。"她回应道。

他们让魔术师走了。

他们一齐注视着他，直到他的黑色斗篷渐渐消失在纷飞的大雪中为止。

他一离开，拉沃恩夫人顿时感到轻松了许多，似乎某种巨大的负担突然之间拍打着翅膀飞走了。她大声地笑了起来，用胳膊搂住阿黛尔，紧紧地、温柔地抱着她。

"孩子冷，"她说，"我们必须进屋里去。"

"对，"利奥·马蒂安尼说，"咱们进去吧。"

事情终于这样结束了。

平平静静地结束了。

结束在被大雪那温柔慈悲的手所

覆盖的世界里……

第十九章
故事后面的故事

从那之后，托马斯和艾杜就经常过来拜访大家。每次过来时，艾杜就趴在火炉前，呼呼大睡。

托马斯则依旧唱着歌。

他们俩每次都只坐一会儿就走，不会待很长时间。

但是他们经常来，这样利奥、格洛丽亚、彼得、阿黛尔都跟他学会了唱歌。大家都和托马斯一起唱那首关于大象、真相和好消息的奇怪而美妙的歌。

通常，当他们唱歌的时候，顶楼公寓就会传来敲击的声音。

经常是阿黛尔上楼问维尔纳·卢茨想要什么。他从来都答不清楚，只是说，他冷，想关上窗户；有时，当他高烧烧得特别严重的时候，他就会允许阿黛尔坐在他身边，抓着他的手。

"我们必须从侧翼包围敌人！"他喊道，"在哪里呢？哦，在哪里呢？我的脚？"

167 魔术师的小象

接着他还会绝望地说："我不能收养她。真的，我没办法。她太小了。"

"嘘，"阿黛尔哄着他说，"好啦，好啦。"

等到老兵睡着了，她再下楼回到格洛丽亚、利奥，还有她的哥哥身边，他们正等着她呢。

当她走进屋，彼得总有一种感觉，好像她已经离开很长时间了，所以再看到她时还会惊讶和欣喜，心怦怦直跳。他又想起梦里的那扇门和那片金色的麦田——所有的光芒，以及现在站在他面前的阿黛尔都使他感到温暖、安全、充满爱意。

毕竟，这样做也实现了他对母亲的承诺。

后来魔术师成了牧羊人，他和一个没有牙齿的女人结了婚。她爱他，他也爱她，他们和自己的羊儿生活在一起，住在一座陡峭的小山脚下的一座小茅屋里。在夏日的夜晚，有时他们会爬上小山，依偎在一起，注视着夜空中的星斗。

魔术师会指给妻子看他在监狱里经常注视的那颗星星，那颗可以说是支撑他活下去的星星。

"是那颗，"他用手指着，"不，是那颗。"

"是哪颗都没关系，弗雷德里克，"他的妻子温柔地说，"天上所有的星星都很美。"

它们确实很美。

从那以后，魔术师再也没有表演过任何魔术。

那头象活了很长时间。尽管人们会说起关于象的回忆，而它却记不起发生过的任何事了。它不记得歌剧院，或者魔术师，或者伯爵夫人，或者巴托克·怀恩。它不记得从天而降的那场莫名其妙的大雪。或许对于它来说，回忆是件十分痛苦的事。或者对它而言，整个事件只是一场可怕的梦而已，它最好忘得干干净净。

然而有时，当它走过高高的草地或者站在树荫下时，它的眼前总会闪现出彼得的脸庞，它会立刻被一种特别的感觉所打动，一种被真正注意到，终于被发现并拯救的感觉所打动。

于是那头象心中便会充满感激，尽管它不知道该感激谁，也想不出为什么要感激。

当那头象忘记了巴尔提斯市和那里的居民的时

候,他们也忘记了它。它的失踪引起过一阵轰动,然后就被淡忘了。对他们而言,象成了一个奇怪而难以置信的朦胧概念,随着时间的推移慢慢地消逝了。不久,没有人再谈论起它那神奇般的出现,或者它难以解释的消失;整个事件看起来太蹊跷,太不真实了。

第二十章

尾声

The Magician's Elephant

但是那件事确实发生过。

并且,关于它的一些证据还被保留了下来。

在城市最雄伟的大教堂顶端,有很多充满愤恨而怒目而视的怪兽雕像,隐藏在怪兽之间的有这些雕像:一头象,由一个男孩领着,男孩一只手抱着一个女孩,另一只手放在那头象的身上。在象的身后,有一个魔术师和一个警察、一个修女和一个贵妇人、一个男仆、一个乞丐和一条狗。最后,在所有这些人的后面,在队伍的最末尾处,还有一个弯腰驼背的矮个儿男人。

他们手牵着手,一个接着一个,并且每个人都在期盼着什么,因为他们的头都以同一个角度仰着,仿佛都在注视着同一道光亮。

如果有朝一日,你有机会亲自到巴尔提斯市旅行,只要多问几个人,我坚信,你一定能够找到一个人，他会告诉你并带你去通往那个大教堂的路，去看那些雕像，去了解巴托克·怀恩刻在高高的石头上的那个真实的故事。

凯特·迪卡米洛
Kate Dicamillo

凯特·迪卡米洛,生于美国宾夕法尼亚州,在佛罗里达州长大。大学时代主修英美文学,并从事成人短篇小说的创作,曾经获得 1998 年迈特赖特基金会的作家奖助金。《傻狗温迪克》是她的第一本儿童小说。

凯特笔下的人物都显得十分真实。她说,她并没有塑造这些人物,而是专心聆听这些人对她说什么,然后把他们说的东西转述出来。她不喜欢刻意介入或扭转故事的发展,也不特意挑选故事的题材或背景,一切都是自然而然流露出来的。以《夏洛的网》一书闻名于儿童文学界的 E.B·怀特曾说:"所有我想要在书里表达的,甚至所有我这辈子所要表达的就是,我真的喜欢我们的世界。"凯特认为这句话也正是她写作的心情。

一道关于承诺的密码

袁 颖/图书编辑

如果不是占卜师的那一句预言，彼得·奥古斯塔斯·杜齐恩也许将永远生活在将信将疑里，他的忧伤将永远无法缓解，他的心也将永远无处安歇。

她还活着。

彼得花了两个先令向占卜师换得的答案，足以唤醒他所有不确定的记忆。

如同魔术师突然间念出了咒语，一直缭绕在彼得心头的云雾被"倏"地拨开，使他清楚地意识到，原来，那个承诺，一直都在。

于是，那个梦再次出现——

房门敞开，彼得可以听得见风儿拂过麦浪时发

出的悦耳的声音。窗外的麦田上，闪烁着金灿灿的
光芒。

而他怀中紧紧抱着的那个小小的身体，是自己
亲爱的妹妹阿黛尔……

这是彼得幻想过上百遍、上千遍的情景，是他仅
有的十年的人生经验中，最为隐秘、却总也剪不断
的心绪。每每沉浸其中，他的内心总是充盈了许多
许多的爱，他感受到的，是一种强烈的拥有与被拥
有的意识。

这样的一个梦，一直以来就如同一道密码，每多
想起一次，破解它的愿望就更加强烈一些。

但是啊，那不是梦，是真实发生过的事情，从来
不应该怀疑——

永远细心地照顾阿黛尔，是彼得曾经对妈妈的
承诺。

彼得知道，在城市的一隅，阿黛尔一定在等待着
他。

她知道他会来。一定会来。因为很久以前，他曾
经答应过妈妈，会永远照顾自己。

176 魔术师的小象

即使，雪一直不停地下。即使，街道上的鹅卵石、屋顶上的瓦，全部被覆盖住了。即使，雪，把世界上的一切都掩埋。

但是，承诺，依然会在。

她一定可以感觉得到，有一颗心，正慢慢地向她靠近。

彼得相信，只要循着占卜师的指示，"跟着小象走"，就一定会有那么一天，可以再次抱紧阿黛尔，感受她温暖的气息。

他想永远那样幸福地抱紧她，彼此不再分离。这种美好的期待，蕴藏着对生命的无限珍惜与感悟——只要平安地与亲人相守，哪怕一辈子过安静甚至清贫的生活。这种美好的期待，足以令彼得抖擞起内心盛放着的所有坚强。

而身边的人，只想苟活于世，比如老兵维尔纳·卢茨。当然，他已经养活了彼得，不必再找其他的麻烦。虽然，他一直要求彼得像战士一样去战斗，但他自己却宁愿低头俯首，就这么混沌、糊涂地活完这一生一世。

177 魔术师的小象

周围充斥着的尽是预言、谎言。没有一个人相信，一个十岁的孩子可以有足够的力量去实现自己曾经的承诺。

但是，只要自己相信就好。对于彼得来说，那不是一种幻想，也不是一种痴狂。这是他"活着"的态度。他只想捍卫，生命中这唯一一次，向妈妈践诺的机会。

彼得坚信：她活着，她活着，她活着。

彼得更加坚信的是：只要心中有爱，就会有奇迹。世上还有他最爱的人，却无法相见。因此，彼得会真正做到，像一个士兵一样，像男子汉一样，像父亲一样——既然许下了承诺，就有足够的信心和勇气去担当！

爱，让相爱的人重聚——那道关于承诺的密码终于被解开，他们紧紧地拥抱，彼此不再分开。

至此，读者才突然醒悟，原来，一个充斥着魔幻元素的故事，是在解读一道关于承诺的密码。

说到便做到，不仅是一种态度，更是幸福的真谛——

幸福其实就是这么简单，心灵的自由才是本真。

许多年以后，魔术师和小象的故事已经渐渐成为一个神话，一个传说。但是，总有一些印记会留下来，证明有一个男孩曾经来过，他有着值得嘉许的勇气和难得的执著与坚持。他曾经将自己生命的全部意义，付诸实现自己对母亲的承诺。

人们最终会相信，有些事情曾经真实地发生过，有些情感、有些坚持，是我们这个世界里最温暖人心、最光辉亮丽的风景。

每一个来到巴尔提斯市的人都会看到，在最雄伟的大教堂顶端，那些手牵手的人物群像以不同的姿态站立，却以同一个角度仰望着同一道光亮。那是他们对珍视承诺的人发出的最为崇敬的礼赞。